HENRY BRADSHAW SOCIETY

ffounded in the year of Our Lord 1890
for the editing of Rare Liturgical Texts

Volume CII

Issued to Members for the years
1978, 1979, 1980, 1981 and 1982
and printed for the Society by
G. W. Belton Ltd., Gainsborough

This edition is derived from a Dissertation accepted for
the degree of Doctor of Philosophy by the Catholic University of America (School of Arts and Sciences) in 1978,
approved by Dr. Thomas P. Halton (Director) and Dr.
Janet E. Blow and Dr. John F. Wippel (Readers).

British Library Cataloguing in Publication Data
Catholic Church,

Explanatio super Hymnos quibus Utitur Ordo
Cisterciensis — Henry Bradshaw Society,
ISSN 0144-0241; 102
1. Catholic church, Liturgy and Ritual
I. Title   II. Beers, John Michael

Imprimatur: The Most Rev. Thomas J. Welsh,
              Bishop of Allentown

ISBN 0 9501009 4 3

A COMMENTARY ON THE CISTERCIAN HYMNAL

EXPLANATIO SUPER HYMNOS QUIBUS UTITUR ORDO CISTERCIENSIS

A Critical Edition of Troyes Bib. Mun. MS. 658

by

John Michael Beers

PARENTIBUS MEIS

JOANNI ET CATHERINAE BEERS

DOCTORIBUS

PRIMIS OPTIMORUM ET PRIMORUM OPTIMIS

MEMORIA VIGEBAM

LOCUTIONE INSTRUEBAR

AMICITIA MULCEBAR

TABLE OF CONTENTS

viii

PREFACE

What chilly cloister or what lattice dim
Cast painted light upon this careful page
What thought compulsive held the patient sage
Till sound of matin bell or evening hymn?

These verses by George Santayana came to mind often as I tried to reconstruct the world of the author of the *Explanatio super Hymnos quibus Utitur Ordo Cisterciensis.* Allowing myself a brief lapse into an unaccustomed romanticism, I could easily imagine the Cistercian at work in the scriptorium, at prayer in the chapel and at recreation with his confrères. I should like to think that in my small way some part of this long-neglected and forgotten monk has been recovered.

It was at the suggestion of Dom Jean Leclercq, O.S.B., that I undertook the editing of Troyes Bib. Mun. MS. 658; his interest in my work has helped in countless ways, as has that of Fathers Louis Lekai, S. O.Cist., and Chrysogonus Waddell, O.C.S.O. I began the actual task of editing under the direction of Dr. Richard J. Schoeck, of the Folger Shakespeare Library, and Mr. Paul J. Meyvaert, of Harvard University; my work with them was made possible through a generous grant by the National Endowment for the Humanities to the Medieval Academy of America. Three teachers at Catholic University played especially significant roles in my academic formation: Dr. George Siefert taught me to read Latin, Fr. Thomas Halton taught me to appreciate what I read, and Dr. Daniel Sheerin taught me to understand the scripts with which I was to spend much time. Fr. Halton also served as a most understanding director; my readers, Fr. John Wippel and Dr. Janet Blow, were equally generous and patient. I should also like to acknowledge the contributions to the five introductory chapters made by Fathers Thomas Kane, Carl Peter and Stephen Happel, Mr. Michael Metzger and the late Dr. Bernard M. Peebles. I could not have asked for more able assistance than that provided me by the librarians with whom I have worked: Mlle. Bibolet and her staff at the Bibliothèque Municipale de Troyes, M. Gasnault and his staff at the Bibliothèque Nationale, Dr. Julian Plante, of the Hill Monastic Manuscript Library, and the librarians at Catholic University, the Library of Congress and the Folger Shakespeare Library.

I must acknowledge my first teachers, who set my sights in the right direction: the Sisters of St. Francis, at Immaculate Conception School, Elkton, Maryland, and the Oblate Sisters and Fathers, at Villa Aviat, Childs, Maryland, and at the Salesianum, Wilmington, Delaware.

Among these were my first language teachers, Mère Berthe de Gonzague, O.S.F.S., and Soeur Cecile Françoise, O.S.F.S. It was only appropriate that Soeur Cecile should be the superior of a community in Troyes, when I went there to conclude my doctoral research. I should like finally to thank my parents who sacrificed for my education and provided me the example that has inspired all my work. They taught me my first lessons, and they remain the best teachers of all.

J. Michael Beers,
Mount Saint Mary's Seminary,
Emmitsburg, Maryland.

BIBLIOGRAPHY

Concordances and Dictionaries

Blaise, Albert. *Lexicon Latinitatis Medii Aevi.* Turnhout, Belgium, 1975.

.... *Le Vocabulaire latin des principaux thèmes liturgiques.* Turnhout, Belgium, 1966.

.... *Dictionnaire latin-français des auteurs chrétiens.* Strasbourg, 1954.

Cappelli, Adriano. *Lexicon Abbreviaturarum: Dizionario di abbreviature latine ed italiane.* Milan, 1967.

Chassant, L.-A. *Dictionnaire des abréviations latines et françaises.* New York, 1970.

Du Cange, Charles. *Glossarium ad Scriptores Mediae et Infimae Latinitatis.* 10 vols. ed. L. Favre. Paris, 1883-1887.

Dutripon, F. *Concordantiae Bibliorum Sacrorum Vulgatae Editionis.* Paris, 1838.

Hagen, Martin. *Lexicon Biblicum.* 3 vols. Cursus Sacrae Scripturae, IV. ed R. Cornely, I. Knabenbauer and F. de Hummelauer. Paris, 1905.

Latham, R. E. *Revised Medieval Latin Word-List.* Oxford, 1965.

Laurent, Marie-Hyacinthe. *De Abbreviationibus et Signis Scripturae Gothicae.* Rome, 1939.

Lenfant, David. *Concordantiae Augustinianae.* Brussels, 1963.

Lewis, Charlton, and Charles Short. *A Latin Dictionary.* Oxford, 1969.

Peultier, Etienne. *Concordantiarum Universae Scripturae Sacrae Thesaurus.* Cursus Sacrae Scripturae, V. ed. R. Cornely, I. Knabenbauer and F. de Hummelauer. Paris, 1897.

Souter, Alexander. *A Glossary of Later Latin.* Oxford, 1949.

Thesaurus Linguae Latinae. Leipzig, 1900-.

Palaeography and Editing

André, Jacques. *Règles et recommendations pour les éditions critiques* (Série Latine). Collection des universités de France: L'Association Guillaume Budé. Paris, 1972.

Battelli, Giulio. *Lezioni di Paleografia.* Vatican City, 1936: 3rd ed., 1949; revised ed., 1965.

Bibliothèque Nationale. *Inventaire des nouvelles acquisitions latines.* 2 vols. Paris, (c. 1900).

Bischoff, Bernhard. "Paläographie," in *Quellenkunde der Deutschen Geschichte*, ed. Frederich Dahlmann and C. Waitz. Stuttgart, 1969.

········ "Paläographie," in *Deutsche Philologie im Aufriss*, I., ed. Wolfgang Stammler. Berlin, 1966.

········ G. I. Lieftinck, and G. Battelli. *Nomenclature des écritures livresques du IXe au XVIe siècle.* Paris, 1953.

Blaise, Albert. *Manuel du latin chrétien.* Strasbourg, 1955.

Coveney, D. K. "The Ruling of the Exeter Book," *Scriptorium*, XII (1958), 51-55.

Crous, Ernst and Joachim Kirchner. *Die gotischen Schriftarten.* Leipzig, 1928; 2nd ed., Braunschweig, 1970.

Delisle, Léopold. *Inventaire des manuscrits latins conservés à la bibliothèque nationale sous les numéros, 8823-18,613.* Paris, 1863-1871.

Dondaine, Antoine. "Un cas majeur d'utilisation d'un argument paléographique en critique textuelle," *Scriptorium*, XXI (1967), 261-276.

Ernout, Alfred, and François Thomas. *Syntaxe latine*, 2nd ed., Nouvelle collection à l'usage des classes, XXXVIII. Paris, 1964.

Fischer, Hans. *Katalog der Handschriften der Universitätsbibliothek Erlangen.* I. Erlangen, 1928.

France. Ministère de l'Instruction Publique et des Beaux Arts. *Catalogue général des manuscrits des bibliothèques publiques des départements* (Quarto Série), II. Paris, 1855.

Gasparri, Françoise. "Un copiste lettré de l'abbaye de Saint Victor de Paris au XIIe siècle," *Scriptorium*, XXX (1976), 232-237.

Gheyn, J. van den. *Catalogue des manuscrits de la Bibliothèque Royale de Belgique*, I. Brussels, 1901.

Gildersleeve, B. L., and Gonzalez Lodge. *Latin Grammar.* London, 1965.

Gilissen, Léon. *L'expertise des écritures médiévales.* Ghent, Belgium, 1973.

········ "La Composition des cahiers: Le pliage du parchemin et l'imposition," *Scriptorium*, XXVI (1972), 3-33 [plates 1-8].

········ "Un Elément codicologique trop peu exploité, la réglure," *Scriptorium*, XXIII (1969), 150-162.

Goldschmidt, E. *Medieval Texts and Their First Appearance in Print.* Oxford, 1943.

Irmischer, Johann Conrad. *Handschriften-Katalog der Königlichen Universitätsbibliothek zu Erlangen.* Frankfurt, 1852.

Jones L[eslie] W[ebber]. "Where are the Prickings?" *Transactions of the American Philological Association*, LXXV (1944), 71-86.

.... "Pin Pricks at the Morgan Library," *Transactions of the American Philological Association*, LXX (1939), 318-326.

Ker, N. R. *English Manuscripts in the Century after the Norman Conquest.* Oxford, 1960.

.... "From 'Above Top Line' to 'Below Top Line': A Change in Scribal Practice," *Celtica*, V (1950), 13-16.

Kirchner, Joachim. *Scriptura Gothica Libraria.* Munich, 1966.

Kristeller, Paul Oskar. *Latin Manuscript Books before 1600.* New York, 1960.

Lauer, P. *Bibliothèque Nationale: Catalogue général des manuscrits latins 1-3535.* 5 vols. Paris, 1940-1966.

Leclercq, Jean. "Textes et manuscrits cisterciens à la Bibliothèque Vaticane," *Analecta Sacri Ordinis Cisterciensis*, XV (1959), 79-103.

.... "Textes et manuscrits cisterciens dans diverses bibliothèques," *Analecta Sacri Ordinis Cisterciensis*, XII (1956), 297-304; XVIII (1962), 121-134; XX (1964), 217-231. This article was published in three parts.

.... "Textes cisterciens à la Bibliothèque de Colmar," *Analecta Sacri Ordinis Cisterciensis*, X (1954), 308-313.

Leroquais, Victor. *Les Psautiers manuscrits latins des bibliothèques publiques de France.* 2 vols. Mâcon, 1940-41.

.... *Les Pontificaux manuscrits des bibliothèques publiques de France.* 3 vols. Paris, 1937.

.... *Les Bréviaires manuscrits des bibliothèques publiques de France.* 5 vols. Paris, 1934.

Leumann, M., J. Hofmann and A. Szantyr. *Lateinische Syntax und Stilistik.* Munich, 1965.

Lieftinck, G. I. *De librijen en scriptoria der Westvlaamse Cisterciënser-abdijen Ter Duinen en Ter Doest in de 12ᵉ en 13ᵉeeuw en de betrekkingen tot het atelier, van de kapittelschool van Sint Donatiaan te Brugge.* Brussels, 1953.

Löfstedt, Einar. *Late Latin.* Oslo, 1959.

Lowe, E. A. *Codices Latini Antiquiores,* VI. Oxford, 1953.

.... "The Earliest Omission Marks in Latin Manuscripts," in *Miscellanea Giovanni Mercati*, VI, Studi e Testi, CXXVI. Vatican City, 1946.

Maas, Paul. *Textual Criticism,* trans. Barbara Flower. Oxford, 1958.

Monfrin, J. "Les études sur les bibliothèques médiévales à l'Institut de Recherche et d'Histoire des Textes," *Bibliothèque de l'Ecole des Chartes,* CVI (1945-46), 320-322.

Moreau-Marechal, J. "Recherches sur la ponctuation," *Scriptorium,* XXII (1966), 56-66.

Morel-Payen, Lucien. *Les plus beaux manuscrits et les plus belles reliures de la Bibliothèque de Troyes.* Troyes, 1935.

Norberg, Dag. *Manuel pratique de latin médiéval.* Connaissance des langues, IV. Paris, 1968.

Novati, F. "Di un *Ars Punctandi* erroneamente attribuita a Francesco Petrarca," *Reale istituto Lombardo di scienze e lettere: Rendiconti,* Ser. II, XLII (1909), 83-108.

Poorter, A. de. *Catalogue des manuscrits de la bibliothèque publique de la ville de Bruges.* Gembloux, 1934.

Rand, E. K. "Prickings in a Manuscript of Orléans," *Transactions of the American Philological Association,* XL (1939), 327-341.

Regemorter, Berthe van. "Evolution de la technique de la reliure du VIIIe au XIIe siècle principalement d'après les manuscrits d'Autun, d'Auxerre et de Troyes," *Scriptorium,* II (1948), 275-85.

Ricci, Seymour de. *Census of Medieval and Renaissance Manuscripts in the United States and Canada.* 2 vols. New York, 1961.

Samaran, C., and R. Marichal, ed. *Catalogue des manuscrits en écriture latine portant des indications de date, de lieu ou de copiste,* V. Paris, 1965.

Steffens, Franz. *Lateinische Paläographie.* Berlin, 1929.

Stiennon, Jacques. *Paléographie du moyen âge.* Paris, 1973.

Strecker, Karl. *Introduction to Medieval Latin,* trans. Robert B. Palmer. Dublin, 1968.

Taylor, Archer. *Renaissance Guides to Books.* Berkeley, 1945.

Thompson, D. V. "Medieval Parchment-Making," *The Library,* Ser. IV, XVI (1935), 113-117.

Thompson, Edward Maunde. *An Introduction to Greek and Latin Palaeography.* New York, 1964.

Thomson, S. Harrison. *Latin Bookhands of the Later Middle Ages: 1100-1500.* Cambridge, 1969.

Ullman, Berthold L. *Ancient Writing and Its Influence.* Cambridge, Mass., 1969.

Vernet-Boucrel, M.-Th. "Les publications françaises relatives aux manuscrits (1946-50)", *Scriptorium,* V (1951), 310-330.

Cistercian Studies

Arbois de Jubainville, H. d'. *Etudes sur l'état intérieur des abbayes cisterciennes et principalement de Clairvaux au XIIe et XIIIe siècles.* Paris, 1858.

Armand, Anna Marie. *Les cisterciens et le renouveau des techniques.* Paris, 1947.

. . . . *S. Bernard et le renouveau de l'iconographie au XIIe siècle.* Paris, 1944.

Benton, J. F. "Nicholas of Clairvaux and the Twelfth-Century Sequence," *Traditio,* XVIII (1962), 149-179.

Blanchard, Pierre. "Un monument primitif de la règle cistercienne," *Revue Bénédictine,* XXXI (1914), 35-44.

Bocat, L. "Sur une phase de la musique religieuse au temps de S. Bernard," in *S. Bernard et son temps,* II. Association bourguignonne des sociétés savantes: Congrès de 1927. Dijon, 1928.

Bouton, Jean de la croix. *Bibliographie Bernardine: 1891-1957.* Paris, 1958.

Bouyer, Louis. *The Cistercian Heritage,* trans. Elizabeth A. Livingstone. Westminster, Md., 1958.

Bynum, Caroline W. "The Cistercian Conception of Community: An Aspect of Twelfth-Century Spirituality," *Harvard Theological Review,* LXVIII (1975), 273-286.

Canivez, Joseph M. "Le rite cistercien," *Ephemerides Liturgicae,* LXIII (1949), 276-311.

. . . . ed. *Statuta Capitulorum Generalium Ordinis Cisterciensis ab Anno 1116 ad Annum 1786.* 8 vols. Louvain, 1933-1941.

Canivez, P. J. *Auctarium D. Caroli de Visch ad Bibliothecam Scriptorum S. O. C.,* in *Cistercienser-Chronik,* XXXIII (1926).

Commission d'histoire de l'ordre de Cîteaux. *Bernard de Clairvaux.* Paris, 1953.

Deseille, P. "La liturgie monastique selon les premiers cisterciens," *La Maison-Dieu,* LI (1957), 10-30, 82-87.

Dimier, M.-Anselme, and Jean Porcher, *L'Art cistercien: France.* 2nd ed. Zodiaque: La nuit des temps, XVI. Yonne, 1974.

Farkasfalvy, Denis. "The Role of the Bible in St. Bernard's Spirituality," *Analecta Cisterciensia,* XXV (1969), 3-13.

. . . . *L'Inspiration de l'écriture sainte dans la théologie de S. Bernard.* Studia Anselmiana, LIII. Rome, 1964.

Griesser, Bruno. ed. *Exordium Magnum Cisterciense sive Narratio de Initio Cisterciensis Ordinis.* Rome, 1961.

Guignard, Philippe. *Les monuments primitifs de la Règle Cistercienne.* Dijon, 1878.

Hashagen, G. "S. Bernard von Clairvaux als Hymnendichter," *Neue kirchliche Zeitschrift,* XIII (1902), 205-216.

Kaul, B[ernard]. "S. Bernard et la liturgie," *Collectanea Ordinis Cisterciensium Reformatorum,* XV (1953), 190-202.

.... "Le psautier cistercien – Appendice: Tableau analytique de l'hymnaire cistercien," *Collectanea Ordinis Cisterciensium Reformatorum,* XIII (1951), 257-272.

.... "De Kalendario Cisterciensi eiusque Revisione Instituenda," *Analecta Sacri Ordinis Cisterciensis,* V (1949), 1-80.

Knowles, David. "The Primitive Cistercian Documents," in *Great Historical Enterprises: Problems in Monastic History.* London, 1963.

Kovács, François. "A propos de la date de la redaction des *Instituta Generalis Capituli apud Cistercium,*" *Analecta Sacri Ordinis Cisterciensis,* VII (1951), 85-90.

Lackner, Bede. "The Liturgy of Early Cîteaux," in *Studies in Medieval Cistercian History.* Cistercian Studies Series, XIII. Spencer, Mass., 1971.

Leclercq, Jean. *Bernard of Clairvaux and the Cistercian Spirit,* trans. Claire Lavoie. Cistercian Studies Series, XVI. Kalamazoo, Mich., 1976.

.... "L'archétype clarevallian des traités de Saint Bernard," *Scriptorium,* X (1956), 229-232.

.... "La Bible de S. Bernard," *Analecta Sacri Ordinis Cisterciensis,* IX (1953), 194-197.

Lefèvre, J. A., and B. Lucet. "Les codifications cisterciennes aux XIIᵉ et XIIIᵉ siècles d'après les traditions manuscrites," *Analecta Sacri Ordinis Cisterciensis,* XV (1959), 3-22.

Lekai, Louis J. *The Cistercians: Ideals and Reality.* Kent, Ohio, 1977.

.... *The White Monks.* Okauchee, Wis., 1953.

Malet, André. *La Liturgie cistercienne.* Westmalle, 1921.

Meadows, D. *A Saint and a Half: A New Interpretation of Abelard and St. Bernard of Clairvaux.* New York, 1963.

Meer, Frédéric van der. *Atlas de l'Ordre Cistercien.* Brussels, 1965.

Murray, Albert Victor. *Abelard and St. Bernard: A Study in Twelfth-Century "Modernism".* New York, 1967.

Noblet, A, "L'hymnaire cistercien," *Revue Mabillon,* II (1906), 93-96.

Oursel, Charles. *Miniatures Cisterciennes 1109-1134.* Mâcon, 1960.

Pennington, M. Basil. "St. Bernard on Composing Liturgical Offices," *Liturgy,* IV (1969), 18-21.

Piétresson de Saint-Aubin, M. P. "Notes sur les archives de l'Abbaye de Clairvaux," in *S. Bernard et son temps,* I. Association bourguignonne des sociétés savantes: Congrès de 1927. Dijon, 1928.

Porter, Arthur Kingsley. "Les manuscrits cisterciens et la sculpture gothique," in *S. Bernard et son temps,* II. Association bourguignonne des sociétés savantes: Congrès de 1927. Dijon, 1928.

Pourtoit, R. "Un bréviaire cistercien du temps de S. Etienne Harding," *Collectanea Ordinis Cisterciensium Reformatorum,* XX (1958), 80.

Rochais, H., and J[ean] Leclercq. "La tradition des sermons liturgiques de S. Bernard," *Scriptorium,* XV (1961), 240-284.

Schneider, Ambrosius. "Skriptorien und Bibliotheken der Cistercienser," in *Die Cistercienser: Geschichte, Geist, Kunst,* ed. Ambrosius Schneider, Adam Wienand and Ernst Coester. Cologne, 1974.

Sommerfeldt, John R. "The Social Theory of Bernard of Clairvaux," in *Cistercian History.* Cistercian Studies Series, XIII. Spencer, Mass., 1971.

Vernet, André. "Un abbé de Clairvaux bibliophile, Pierre de Virey (1471-1496)," *Scriptorium,* VI (1952), 76-88.

． ． ． ． ． ． ． ． "Autour du catalogue de la bibliothèque de Clairvaux en 1472," *Bibliothèque de l'Ecole des Chartes,* CX (1952), 210-220.

Visch, Carolus de. *Bibliotheca Scriptorum Sacri Ordinis Cisterciensis cum Chronologia Monasteriorum.* Cologne, 1656.

Waddell, Chrysogonus. "Liturgy and Contemplative Community," in *Contemplative Community.* Cistercian Studies Series, XXI. Washington, 1972.

． ． ． ． ． ． ． ． "The Early Cistercian Experience of Liturgy," in *Rule and Life.* Cistercian Studies Series, XII. Spencer, Mass., 1971.

． ． ． ． ． ． ． ． "The Origin and Early Evolution of the Cistercian Antiphonary: Reflections on Two Cistercian Chant Reforms," in *The Cistercian Spirit.* Cistercian Studies Series, III. Spencer, Mass., 1970.

Walliser, Franz. *Cistercienser Buchkunst: Heiligenkreuzer Skriptorium in seinem ersten Jahrhundert 1133-1230.* Vienna, 1969.

Wilmart, André. "L'ancienne bibliothèque de Clairvaux," *Collectanea Ordinis Cisterciensium Reformatorum,* XI (1949), 101-127, 301-319.

． ． ． ． ． ． ． ． *Le "Jubilus" dit de Saint Bernard.* Rome, 1944.

General History, Hymnology, Liturgy and Theology

Allen, Judson Boyce. "Commentary as Criticism: Formal Cause, Discursive Form and the Late Medieval Accessus," in *Acta Conventus Neo-Latini Lovaniensis: 23-28 August 1971*, ed. J. IJsewijn and E. Kessler. Munich, 1973.

. . . . *The Friar as Critic.* Nashville, 1971.

Anciaux, Paul. *La théologie du sacrement de Pénitence au XIIe siècle.* Louvain, 1949.

Anderson, John D. *The Enigma Fidei of William of St. Thierry: A Translation and Commentary.* Washington, 1971.

Beare, William. *Latin Verse and European Song.* London, 1957.

Biblia Sacra Vulgata. 2 vols. ed. Bonifatius Fischer, Jean Gribomont, H. F. D. Sparks and W. Thiele. Stuttgart, 1969.

Blume, Clemens. *Repertorium Repertorii.* Hildesheim, 1971.

. . . . *Unsere liturgischen Lieder.* Regensburg, 1932.

Brooke, Christopher. *The Monastic World: 1000-1300.* New York, 1974.

Brunhölzl, F. "Hilarius," *Lexikon für Theologie und Kirche.* 2nd ed. (1960), V, 336.

Cassander, Georgius. *Hymni Ecclesiastici.* Cologne, 1556.

Chevalier, Ulysse. *Repertorium Hymnologicum.* 6 vols. Louvain, 1892-1912; Brussels, 1920-1921.

. . . . *Répertoire des sources historiques du moyen âge: Bio-bibliographie.* 2 vols. Paris, 1877-1886.

Connelly, Joseph. *Hymns of the Roman Liturgy.* Westminster, Md., 1957.

Curtius, Ernst Robert. *European Literature and the Latin Middle Ages,* trans. Willard R. Trask. New York, 1963.

Daniel, Hermann Adalbert. *Thesaurus Hymnologicus.* 5 vols. Leipzig, 1841-1855.

Dekkers, Eligius. *Clavis Patrum Latinorum,* rev. Aemilius Gaar. Sacris Erudiri, III. Steenbrugge, 1961.

Dijk, S. J. P. van. *Sources of the Modern Roman Liturgy.* 2 vols. Leiden, 1963.

Dreves, G. M., C. Blume and H. M. Bannister. *Analecta Hymnica Medii Aevi.* 55 vols. New York, 1961.

Dronke, Peter. *Poetic Individuality in the Middle Ages.* Oxford, 1970.

Ghellinck, J. de. *Littérature latine au moyen âge.* 2 vols. Hildesheim, 1969.

.... "Pierre Lombard et son oeuvre" and "Développement postlombardien des doctrines communes," in *Le Mouvement théologique du XIIe siècle.* 2nd ed. Paris, 1948.

Gneuss, Helmut. "Latin Hymns in Medieval England: Future Research," in *Chaucer and Middle English Studies in Honor of Russell Hope Robbins,* ed. Beryl Rowland. London, 1974.

.... *Hymnar und Hymnen im englischen Mittelalter.* Tübingen, 1968.

Gy, P.-M. "Histoire liturgique du sacrement de pénitence," *La Maison Dieu,* LVI (1958), 5-21.

Hain, Ludovicus. *Repertorium Bibliographicum.* 3 vols. Milan, 1948.

Häring, N. M. "A Poem by Alan of Lille on the Pseudo-Athanasian Creed," *Revue d'histoire des textes,* IV (1974), 225-238.

.... "Commentaries on the Pseudo-Athanasian Creed," *Mediaeval Studies,* XXXIV (1972), 208-254.

Helyot, Pierre. *Histoire des ordres monastiques, religieux et militaires.* 8 vols. Paris, 1714-1719.

Hilarius. *Liber Hymnorum, seu Aurea Expositio Hymnorum Una cum Textu, Studio et Labore cujusdam Hilarii.* Paris, 1480, 1488; Rouen, 1505.

Irtenkauf, W. "Hymnenerklärungen des MA." *Lexikon für Theologie und Kirche.* 2nd ed. (1960), V, 568.

Janson, Tore. *Latin Prose Prefaces.* Stockholm, 1964.

Jolivet, Jean. *Arts du langage et théologie chez Abélard.* Etudes de Philosophie Médiévale, LVII. Paris, 1969.

Julian, John. *A Dictionary of Hymnology.* London, 1892.

Jungmann, Josef. *The Mass,* trans. Julian Fernandes and Mary Ellen Evans. Collegeville, Minn., 1976.

Kelly, J. N. D. *The Athanasian Creed.* New York, 1964.

Knowles, David. *Christian Monasticism.* New York, 1972.

Labbé, Philippe. *Bibliotheca Bibliothecarum.* Paris, 1664.

Lauterer, Kassian. "Der Hymnenkommentar Mathäus' von Königssaal," *Cistercienser-Chronik,* LXXIII (1966), 33-43, 71-75.

Leclercq, Jean. *The Love of Learning and the Desire for God,* trans. Catherine Misrahi. New York, 1974.

Lehmann, Paul. *Erforschung des Mittelalters.* 5 vols. Stuttgart, 1959.

Lubac, Henri de. *Exégèse médiévale.* 2 vols. Théologie, XLI. Lyons, 1959.

Lutz, Cora E., ed. *Remigii Autissiodorensis Commentum in Martianum Capellam.* 2 vols. Leiden, 1962-1965.

McNally, Robert E. *The Bible in the Middle Ages.* Westminster, Md., 1959.

.... "Christian Tradition and the Early Middle Ages," in *Perspectives on Scripture and Tradition,* ed. Robert M. Grant, Robert E. McNally and George H. Tavard. Notre Dame, Ind., 1976.

Manser, A. "Hymnologie," *Lexikon für Theologie und Kirche.* 1st ed. (1933), V, 229-232.

Mohrmann, Christine. *Liturgical Latin: Its Origins and Character.* Washington, 1957.

Mone, F. J. *Lateinische Hymnen des Mittelalters.* 3 vols. Aalen, 1964.

Montanus, Benedictus. *Hymni et Secula.* Antwerp, 1593.

Muretus, M. Antonius. *Hymnorum Sacrorum Liber.* Paris, 1576.

Norberg, Dag. *Introduction à l'étude de la versification latine médiévale.* Studia Latina Stockholmiensia, V. Stockholm, 1958.

Palmer, P. *Sacraments and Forgiveness.* Westminster, Md., 1959.

Poschmann, Bernhard. *Penance and the Anointing of the Sick,* trans. Francis Courtney. New York, 1964.

Raby, F. J. E. *A History of Christian-Latin Poetry.* 2nd ed. Oxford, 1966.

Rondet, H. "Esquisse d'une histoire du sacrement de Pénitence," *Nouvelle Revue Théologique,* LXXX (1958), 561-584.

Salmon, Pierre. *Les manuscrits liturgiques latins de la Bibliothèque Vaticane.* Studi e Testi, CCLI. Vatican City, 1968.

.... *L'Office divin au moyen âge.* Paris, 1967.

.... *The Breviary through the Centuries,* trans. Sister David Mary. Collegeville, Minn., 1962.

Schwerd, Andreas. *Hymnen und Sequenzen.* Munich, 1954.

Smalley, Beryl. *The Study of the Bible in the Middle Ages.* Notre Dame, Ind., 1970.

Spicq, Ceslaus. *Esquisse d'une histoire de l'exégèse latine au moyen âge.* Bibliothèque Thomiste, XXVI. Paris, 1944.

Szövérffy, Josef. *Peter Abelard's Hymnarius Paraclitensis.* 2 vols. Albany, N. Y., 1975.

.... *Weltliche Dichtungen des lateinischen Mittelalters.* Berlin, 1970.

. . . . "Hymnological Notes," *Traditio,* XXV (1969), 457-472.

. . . . *Die Annalen der lateinischen Hymnen Dichtung.* 2 vols. Berlin, 1964-1965.

. . . . "L'Hymnologie médiévale: Recherches et méthode," *Cahiers de civilisation médiévale,* IV (1961), 389-422.

Vogel, Cyrille. *Le pécheur et la pénitence au moyen âge.* Paris, 1969.

Walther, Hans. *Initia Carminum ac Versuum Medii Aevi Posterioris Latinorum.* Göttingen, 1969.

Workman, H. B. *The Evolution of the Monastic Ideal,* 2nd ed. London, 1927.

Zarnecki, George. *The Monastic Achievement.* New York, 1972.

CHAPTER ONE

The Hymnal Commentary

The genre of the hymnal commentary[1] is said to have originated in the twelfth century with Hilary's *Liber Hymnorum*[2], which appeared in the incunabula[3] as Hilary's *Aurea Expositio Hymnorum* or *Compendiosa Hymnorum Expositio*. Blume[4] observes that it is generally held, though not proven, that Hilary is the same Englishman who in 1125 was a student of Peter Abelard's at Paris. After the twelfth century, Hilary's work remained the most popular hymnal commentary[5].

When hymnal scholarship flourished in the sixteenth century, it was to Hilary that the commentators[6] turned for a model. So strong was his influence that many writers adopted the incipit of his work as their own:

> Liber iste dicitur ymnorum. Hymnus autem est laus dei cum cantico. (Cod. Oxonien. Laud. Misc. 40. fol. 90ʳ)

It is obvious that Hilary is writing in the tradition of Augustine's definition[7]:

> Hymni sunt laudes Dei cum cantico: hymni cantus sunt continentes laudem Dei. Si sit laus, et non sit Dei, non est hymnus; si sit laus, et Dei laus, et non cantetur, non est hymnus. Oportet ergo ut, si sit hymnus, habeat haec tria: et laudem, et Dei, et canticum. (Aug. *In Psalm.* 72.1)

Completely overlooked by other scholars, however, is the origin of Hilary's incipit in its entirety, not as a mere paraphrase of Augustine, but as a direct quotation from Peter Lombard:

> Hymnus est laus Dei cum cantico. Canticum est exsultatio mentis habita de aeternis in vocem prorumpens. Bene ergo dicitur liber iste hymnorum, quia docet nos laudare Deum cum exsultatione habita de aeternis. (Petr. Lomb. *In Psalm.*, praef.)

The author of the *Explanatio super Hymnos quibus Utitur Ordo Cisterciensis*, likewise, repeats[8] verbatim Lombard's definition of a hymn, but goes further than Hilary in giving also his definition of a canticle. The author, therefore, does not repeat the incipit of Hilary's accessus, a mark of respect shown Hilary by later commentators; rather, for a succinct definition[9] of a hymn he turns directly to the one whose writings most strongly influenced his own, the Master of the *Sentences*[10].

Both Hilary and the Cistercian author betray the influence of Peter Lombard, but no acquaintance with each other's work. In the commentaries on the twenty-eight hymns which their works share in common, there is no indication whatsoever of the dependence of one on the other. All of Hilary's commentaries begin with rather pedestrian introductions, of which the most common are "Materia huius hymni est..." and "In hoc hymno cognoscitur..." The Cistercian author never makes use of such an introduction, nor does he ever comment on the doxology, while Hilary usually ends his commentary with just such a belabouring of the obvious. Hilary prefers a "brief and very literal paraphrase[11]" to the running commentary of the Cistercian, who, more often than not, gives a detailed analysis replete with allegories, theological definitions and mystical metaphors. The Cistercian's almost relentless concern for explaining his text as fully as possible, as if he were dealing with the Bible, is typical of the commentaries later in the twelfth century and contrasts sharply with Hilary's "allegorical reduction to some paraphrase capable of being taken literally as truth[12]." To appreciate their different approaches, one need only contrast the half-page that the Cistercian devotes to explaining "Aurora prodeat" (12.31-13.8 of this edition) to the three words of explanation provided by Hilary: "(aurora prodeat) id est manifestat[13]."

While one would not expect Hilary to have ferreted out the obscure Cistercian commentary as a source for his *Aurea Expositio* of over one hundred hymns, one should think that the Cistercian, who was obviously familiar with the Parisian schools and the intellectual activity and controversy there[14], would have made use of Hilary's work, had he known of it. Since the Cistercian makes obvious his dependence on Peter Lombard and openly cites him by name, he should not have felt constrained to conceal an acquaintance with Hilary's work, if it were considered by his superiors a radical innovation. This leads us to conclude that either the two commentators were contemporaries, though writing independently of one another, or the Cistercian preceded Hilary. The obvious argument against the second conclusion is that the Cistercian *Explanatio* represents a more sophisticated form of hymnal commentary than one should expect to find in the twelfth century[15]. This argument is advanced by those who see only the development of the hymnal commentary[16] from the interlinear glosses of the eleventh and twelfth-century hymnals to the commentary of Hilary based on these glosses and to the more advanced commentaries of the later middle ages[17]. But, in fact, the method of the Cistercian *Explanatio* was already present in the *Expositiones Missae*, which date from the Carolingian period[18], and the various Scriptural commentaries of the patristic era[19]. The commentaries on the psalter[20] were especially suited to the Cistercian's purposes, and he had only to look to Augustine, Jerome, Lombard, or Bernard for a fully-developed method suited to his subject matter. Rather than anticipating the method of a later age, the Cistercian was writing out of a tradition that was already centuries old. Most likely, the Cistercian saw little novelty in his venture; he was writing simply a liturgical commentary, as many before him had done. But in his application of an old method to a new subject, he produced what may have been the very first hymnal commentary, though not the best known and most widely circulated.

Since the early Cistercian abbeys had no schools, except for the novices[21], the hymnal commentary most likely served as an instruction book in the novitiate, where, Ordericus Vitalis notes, there could be found novices from the noble classes and the schools, who joined their ranks and rejoiced in chanting triumphant anthems to Christ in the right manner (Ord. Vital. *Hist*. 3.8.25). The Cistercian *Explanatio* answered a need made obvious in Peter Abelard's stinging criticism[22] of Bernard's introduction of hymns that were not commonly known, much less understood:

> Quorum ut pauca commemorem, pace vestra, hymnos solitos respuistis, et quosdam apud nos inauditos, et fere omnibus Ecclesiis incognitos, ac minus sufficientes, introduxistis. Unde et per totum annum in vigiliis tam feriarum quam festivitatum uno hymno et eodem contenti estis, cum Ecclesia pro diversitate feriarum vel festivitatum diversis utatur hymnis, sicut et psalmis, vel caeteris, quae his pertinere noscuntur: quod et manifesta ratio exigit. Unde et qui vos die Natalis, seu Paschae, vel Pentecostes, et caeteris solemnitatibus hymnum semper eumdem decantare audiunt, scilicet, *Aeterne Rerum Conditor*, summo stupore attoniti suspenduntur; nec tam admiratione quam derisione moventur. (Abael. *Ep*. 10)

This letter, written ca. 1136, could not have been very pleasing to the monks of Clairvaux, much less to their abbot[23]. An appropriate response would be the *Explanatio*[24], for it explains the subtleties of language and metaphor to which the worshippers might not be accustomed, it shows why the hymns are appropriated to certain seasons and feasts, it demonstrates the value of the hymns as tools for theologians and philosophers[25], of whom Abelard[26] himself of course was one, and it clears away any cause for wonder or derision on the part of those who hear the hymns. If no one else, at least the Cistercian novices must have found in the *Explanatio* an invaluable guide to the hymns that constituted so large a part of the liturgical activity in their religious lives.

In his appreciation for the richness of language in hymnody, the word-play, the etymologies, the allegories, the author evokes the sentiment of St. Bernard: "Cantus...sensum litterae non evacuet, sed fecundet." (Bern. Clar. *Ep*. 398). In never resorting to literary affectation, euphuism, or verbal pyrotechnics, the author proves that his love of language and his mastery of it are genuine[27]. Like many a monastic commentator before him, the author betrays two overriding concerns: grammar and spirituality[28]; in fact, the entire *Explanatio* can be read as a treatise on these two subjects. Like the monastic critics of a later age, he shared with his Brothers and continues still to share with his readers "the sense of joy in the form of words...common to them all[29]."

CHAPTER TWO

The Background of the Cistercian *Explanatio*

Concerned that his monks "should sing in the divine praises only that which would prove to be the more authentic[1]," Stephen Harding, the successor to Robert of Molesme as abbot of Cîteaux, adopted in 1113 a hymnal which he believed to be closer to that designated in St. Benedict's *Regula*[2] as "ambrosianum" and, thus, proper for monastic services. His letter (Nantes Bib. Mun. MS. Lat. 9, fol. 144[r]) on the observance of the thirty-three Ambrosian hymns represents the earliest statement on the Cistercian hymnal[3]:

INCIPIT EPISTOLA DOMNI STEPHANI SECUNDI CISTER[CIENSIS] ABBATIS: DE OBSE[R]VATIONE HYMNORUM

Frater stephanus novi monasterii minister secundus, successoribus [suis] salutem: Mandamus filiis sancte ecclesie: nos hos hymnos quos beatum ambrosium archiepiscopum constat cumposuisse, in hunc nostrum locum, novum videlicet monasterium, de mediolanensi ecclesia in qua cantantur detulisse, cummunique fratrum nostrorum consilio ac decreto statuisse, ut amodo a nobis omnibusque posteris nostris, hii tantum nullique alii canantur, quia hos ambrosianos beatus pater et magister noster benedictus in sua regula, quam in hoc loco maximo studio decrevimus observandam, nobis proponit canendos. Quapropter auctoritate dei et nostra, vobis iniungimus, ne quando integritatem sancte regule quam in hoc loco haud parvo sudore a nobis elaboratam et statutam conspicitis, vestra levitate mutare aut evellere presumatis; set magis predict patris nostri sancti propositi amatores et imitatores ac propagatores existentes, hos hymnos inviolabiliter teneatis.

EXPLICIT EPISTOLA FELICITER. AMEN.

Harding's all too literal interpretation of St. Benedict's term "ambrosianum" resulted in

the radical rejection of the sober, traditional Molesme hymnal and the adoption of the chief items in the Milanese hymnal, since these had all been composed, it was thought, by St. Ambrose himself[4].

The Cistercian *Consuetudines* prescribed that "every monastery was supposed to copy carefully the original liturgical books and ritual of Cîteaux and follow them without any alteration[5]." With the liturgical books carefully copied, passed on and kept intact, perfect uniformity ensued.

With the passing of the last of the old guard in 1134, the second generation of Cistercians, under the aegis of St. Bernard, came to the fore in all activity, political and liturgical. Seeking to promote greater monastic simplicity in all matters, including liturgy, the Chapter of 1134 entrusted to St. Bernard[6] the task of expurgating from the hymnal and liturgical chant all their alleged defects and superfluities[7]. Bernard called to Clairvaux from other monasteries those monks "qui in arte et usu canendi instructiores atque peritiores inventi sunt[8]." He thereby provided Clairvaux with a body of men eminently qualified for liturgical revision and commentary and an atmosphere perfectly suited to the writing of a work like the *Explanatio super Hymnos quibus Utitur Ordo Cisterciensis*.

Thus began the second reform of the Cistercian hymnal[9]. Since St. Bernard was otherwise preoccupied – most notable was his running battle with Peter Abelard – the bulk of the revision fell to two monks, Abbot Guy of Cherlieu, previously a monk of Longpont, and Richard of Vauclair, later Abbot of Fountains. Their work, completed in 1147, introduced sixteen popular non-Milanese hymns and the division of some of the earlier hymns for use on vigils[10]. The *Explanatio super Hymnos quibus Utitur Ordo Cisterciensis* is a commentary on the fifty-one hymns of the 1147 revision.

In the *Explanatio*, the hymns are closer to the textual tradition[11] of the twelfth century than that of even the early thirteenth century. Of the twenty-one times that Troyes Bib. Mun. MS. 658 gives a reading different from that of Troyes Bib. Mun. MS. 283 (*Breviarium*, Clairvaux, S. XIII), it agrees eleven times with Colmar Bib. MS. 442 (*Hymnarium et Processionale*, Cistercian Abbey of Pairis, Alsace, S. XII)[12] and with Vatican, Chigi C. V. MS. 138 (*Breviarium*, Cistercian Abbey of Sts. Vincent and Anastasius *ad Aquas Salvias*, Rome, S. XII)[13]. The table of variants in Appendix A is illustrative of the position of the *Explanatio* in the textual tradition[14] of the Cistercian hymnal.

As the manuscript bears the physical stamp of a twelfth-century Cistercian scriptorium, so too the text looks to a composition in the final quarter of the twelfth century. The author was a religious well acquainted with the theological controversies of his day and, most likely, the product of a Paris school.

His citation of Scripture is strikingly similar to St. Bernard's[15]. From the Old Testament, he frequently quotes the Psalms and by far prefers Isaias to the other prophets. From the New Testament, he often cites St. Paul, his "Apostolus", and of the evangelists St. John is his favourite. Like St. Bernard[16], he favours as patristic sources St. Augustine and St. Ambrose; for his etymologies he turns to Papias and St. Isidore of Seville. The only twelfth-century author and likely contemporary cited by name in the text (27.3) is Peter Lombard. The author claims to quote the Fathers often when he is only borrowing a paraphrase from Lombard's *Sentences*, which appeared in Paris, around 1158. For example, he writes:

> Unde Augustinus ita describit virtutem: *Virtus est bona qualitas mentis qua recte vivitur et qua* nemo *male utitur.* (10.29-30)

This is nowhere to be found in St. Augustine's writings, although it is found verbatim in Lombard's *Sentences* 2.27.1, where it is likewise attributed to Augustine. In fact, most of his citations which are true to their patristic sources can also be traced to Peter Lombard's writings.

Peter Comestor, an exegete at the Parisian Abbey of St. Victor in the 1160s, proposed in his *Sermo XI in Quadragesima* remedies for the seven capital sins which are identical to those in *Explanatio* (31.11-32.3). Both writers agree even in their explanation of genuflection as having its origin in the position of the fetus in the uterus. This correspondence appears to be unparalleled in all of patristic literature.

Alan of Lille, who taught in Paris until he entered the Cistercians in 1170, reflects in his *Distinctiones Dictionum Theologicarum* a theological background very much like that of the *Explanatio*'s author, as can be seen in a brief survey of the critical apparatus of this edition.

Most subtle is the author's introduction of Peter Lombard's thought to his audience of Cistercian novices – an unthinkable innovation in St. Bernard's day. His understanding of Penance[17], the sacrament which he treats most frequently, is highly illustrative of his agreement with Lombard. Where most theologians agreed on four essential elements to the sacrament: *contritio, confessio, satisfactio,* and *absolutio,* Lombard admitted only the first three:

> In perfectione autem poenitentiae tria observanda sunt, scilicet compunctio cordis, confessio oris, satisfactio operis (*Sent.* 4.16.1)

The *Explanatio* likewise ignores the priest's absolution:

> Hec via est...contricio, confessio, satisfactio, vel munda cogitatio, circumspecta locutio, bona operatio. (3.24-25)

> [Bona conversatio] habetur per veram contricionem, plenam confessionem, que semper debet habere pudorem et dignam satisfactionem. (12.5-7)

Writing in the tradition of Abelard, Lombard held that the priest's absolution was nothing more than a declaration that the penitent had been reconciled by the grace of sorrow motivated by God's love:

> ...Deus ipse poenitentiam solvit a debito poenae, et tunc solvit, quando intus illuminat, inspirando veram cordis contritionem. (*Sent.* 4.18.4)

> [Sacerdotibus] tribuit potestatem ligandi et solvendi, id est, ostendendi homines ligatos vel solutos... (*Sent.* 4.18.6)

The priest's role in Penance, according to the *Explanatio*, is minimal. God's Word excites the sinner to contrition, the priest merely calls for a response:

> Verbo Dei canente, doctore clamante, hec petra culpam diluit, quia inde peccator compungitur, conteritur, veniam petit, confitetur, et Deus peccata dimittit. (5.24-26)

Esteeming the efficacy of the penitent's contrition over that of the priest's absolution, Lombard eventually came to regard the absolution of the priest as outside the sacrament. In his opinion, contrition alone comprises the *sacramentum et res*:

> ...pluribus probatur ante confessionem vel satisfactionem sola compunctione peccatum dimitti. (*Sent.* 4.17.1)

> Sane quod sine confessione oris et solutione poenae exterioris, peccata delentur per contritionem et humilitatem cordis. Ex quo enim proponit mente compuncta se confessurum, Deus dimittit. (*Sent.* 4.17.1)

The *Explanatio* expresses Lombard's doctrine succinctly:

> [Deus] tociens iteratur quociens post peccatum homo vere compungitur. (23.35-36)

In the end, it is God alone, without the intermediaries of priest or Church, who pardons the penitent of his sins and frees him from punishment:

> ...pluribus testimoniis docetur Deum solum per se peccata dimittere... (*Sent.* 4.18.4)

> Hoc sane dicere ac sentire possumus quod solus Deus peccata dimittit et retinet, et tamen Ecclesiae contulit potestatem ligandi et solvendi; sed aliter ipse solvit vel ligat, aliter Ecclesia. Ipse enim per se tantum ita dimittit peccatum, quod et animam mundat ab interiori macula et a debito aeternae mortis solvit. (*Sent* 4.18.5)

Giving emphasis to and showing respect for this doctrine, the *Explanatio* expresses it in language suggestive of the liturgy:

> Tu enim solus salvas. Tu solus remittis peccata. Tu solus das vitam eternam. (29.7-8)

Penance is only one aspect of Lombard's thought, assimilated by the author of the *Explanatio*, but it is a most revealing one. It shows the author conversant with the work of Lombard and, more important, most accepting of it. A look at the *apparatus fontium* shows that hardly a page of the *Explanatio* lacks the imprint of the Master of the *Sentences*. The author may here be presenting his commentary not only on the Cistercian hymnal, but also on the *Sentences*, a task required of theologians after Lombard. Whatever his intentions, he, nevertheless, did succeed in introducing to Clairvaux, however subtly, a teaching seldom heard there prior to his work.

CHAPTER THREE

The Manuscript

Manuscript 658 of the *Bibliothèque Municipale de Troyes* is a parchment manuscript of 183 folios, measuring 33 by 25 centimetres. It contains a variety of works, written in five hands[1]:

1v–103v:	Guibert of Nogent. *Expositio Tropologica in Prophetas Minores et in Lamentationes Iheremie.*
104r–143v:	Ennodius. *Epistole.*
	Versus et Epitaphia.
	Vita Beati Epiphanii Episcopi Ticinensis.
144r–146r:	A collection of sermons on scriptural themes.
147r–178v:	*Explanatio super Hymnos quibus Utitur Ordo Cisterciensis.*
179r–183r:	A commentary on St. Ambrose's *Almi Prophete.*

The manuscript definitely belonged in the early thirteenth century to the Abbey of Clairvaux, as the ex libris, *Liber Sancte Marie Clarevallis*, written on the front flyleaf, in a Gothic hand of that period, shows. This same hand gave the volume the shelf number of CXLI[2] and this list of contents:

> Expositio Guiberti Abbatis in xii prophetis / prima pars epistolarum ennodii (Vita beati epiphani Ticinensis episcopi)[3]

A Gothic hand later in the century added:

> Et explanatio super hymnos quibus utitur ordo cistertiensis.

When Abbot Pierre de Virée ordered in 1472 a catalogue of the Clairvaux library (Troyes Bib. Mun. MSS. 521 and 2299)[4], this volume was included among the treatises on Scripture and catalogued E.45[5]. After the Revolution of 1789, it passed with the rest of the Clairvaux collection into the possession of the city library[6] and was given its current designation, Troyes Bib. Mun. MS. 658[7].

This volume provides the only extant manuscript[8] of the anonymous *Explanatio super Hymnos quibus Utitur Ordo Cisterciensis*. All aspects of these thirty-two folios look to a late twelfth-century production.

The scribe used a very white, but unusually rough and thick, parchment, gathered in four quires of four bifolia each. Each quire was folded, with the consistent placing of flesh to flesh and hair to hair, and then pricked through the eight leaves in one process. It does not appear that more than one quire was pricked at once.

The dimensions of the ruling, done in pencil, are best given through Gilissen's method of classification[9]:

$$2C\ 33\ 14.76.15.81.39\ (225)\ \text{x}\ 306\ UR\ 7.5$$

The text is written in two columns of thirty-three lines each[10], with the first line of writing above the top ruled line. Large, unlaboured capitals, in red or blue, indicate the beginning of a new hymn[11]. The two capitals on folio 147r are more elaborate, drawn in both red and blue. The ink of the text is a deep black[12].

The capitals are typical of the Clairvaux scriptorium; they evoke a style, "plain, gaunt, averse to admitting any superfluous ornament-ation"[13]. As early as 1125, Bernard, in his *Apologia*, urged William of Thierry to forego the illumination of manuscripts, lest the brethren be tempted more to wonder at the scenes than to meditate on the Word[14]. With the death of Stephen Harding in 1134, Bernard prevailed upon Rainard, Stephen's successor as abbot of Cîteaux, to legislate for the whole order what had become the custom at Clairvaux. Bernard succeeded, and in 1150 the general chapter ruled: "Litterae unius coloris fiant et non depictae"[15]. The prohibition of poly-chroming and illumination was clearly directed against the artistic movement witnessed by the fine artwork of Stephen Harding's Bible and other early Cîteaux manuscripts[16]. But this movement proved stronger than Bernard, for most Cistercian scriptoria, with the obvious exception of Clairvaux, ignored the general chapter's edict. Upon Bernard's death in 1153, some Clairvaux scribes felt free to return to the polychromed ornamentation so long forbidden them[17], while others maintained for one generation the traditions of their house[18].

The combination of red and blue in the capitals on folio 147r indicates that polychroming was no longer prohibited, while the presence of forty-nine monochrome capitals shows that the old Clair-vaux tradition was still strong. The only ornamentation of form consists of knobs and wavy lines within the capital itself; this had been permitted even in the monochrome capitals of the early and mid-twelfth century. Absent are the elaborate filigrees popular later in the century.

The script of the text, the work of a single hand, is strikingly similar to that of several dated Clairvaux manuscripts of the second half of the twelfth century[19]. The script is early Gothic *textualis*[20]; it reflects well the transition from Caroline to Gothic, with the Caroline influence still present in the roundness and wide spacing of the letters[21]. Typical of Cistercian scriptoria is the severity of this manu-script's execution, which in many ways anticipates the Gothic script employed elsewhere only later[22]. Though representative of a Cister-cian scriptorium, the script is not so far advanced as thirteenth-century *Zisterzienserschrift*[23].

The writing is low and broad, with the ascenders only a little taller than the minims. Ascenders and minims alike begin with a wedge-shaped stroke[24], slightly oblique in the minims; the minims end in a similar stroke, pointing upward. The resultant angularity is a sign of the early Gothic. The final stroke of *h* bends down and to the left, while *c*, *e*, *l*, *r*, *t*, and *s longata* end in a slightly angular stroke curving up to the right.

The fusion of *pp*, a Gothic practice of the twelfth century, occurs; likewise, the round, 2-shaped *r* used after *b*, *o*, and *p* coalesces with the preceding letter[25]. The prolific fusion of letters, common in the thirteenth century, clearly is not present here. The *st* ligature is used consistently throughout the text. Although the *ct* ligature has disappeared, its influence remains in the special form given to *t* only when it comes after *c*. The scribe employs as a space-saving device the old ligatures of *NS*, *NT*, *ON*, and *PS*.

The scribe is comfortable with both the upright Caroline *d* and the round Gothic *d*, though he clearly favours the latter. The round *s*, sometimes suprascript, is used often at the end of a word, rarely at the beginning, never in the middle. An initial *u* is often, but not always, written *v*; a medial or final *u* is always written *u*. On occasion, in writing *evangelium*, the scribe affècts a double *v*. The first stroke of the *u* is usually higher than the second; *u* is thus easily distinguished from *n*. The horizontal stroke of *t* gives it a slight tick absent in *c* and distinguishes it from *c*. Absent are the consistent use of round *d*, round *s*, and initial *v* and the confusion of *u* for *n* and *c* for *t*, all traits of the fully developed thirteenth-century Gothic.

The use of *ij*, with faint slanting lines above both letters, distinguishes double *i* from *u*. The common thirteenth-century use of *i*-strokes over a single *i* rarely appears here. A plain *e*, instead of *e caudata*, is used to represent *ae*[26].

The fanciful form given to some letters on the top line of a folio, through the use of ligatures and the bifurcation of ascenders, is reminiscent of charters and suggests the scribe's acquaintance with chancery hands. For the beginning of sentences, the scribe employs Gothic capitals exaggerated by the swelling of curves and the tracing of initial strokes[27].

Consonant with Gothic practice, abbreviations are numerous[28]. The scribe uses those abbreviations for suspension and contraction considered by Bischoff as normal for the early Gothic period[29]. The most common sign is a straight horizontal stroke with angled tips at both ends[30]. A waved vertical stroke signifies the omission of either *er* or *re*. A fully developed 3-shaped sign appears for the termination *et*; with *b* or *q* it represents *bus* or *que*. Rare is the old semicolon termination. A 2-shaped sign stands for *ur*; at times, the upper loop of the *2* closes, and the sign resembles a small, suprascript *a*.

Unconventional is the scribe's use of suprascript letters written directly above the letters on the line to indicate the contraction of several syllables, as in the abbreviation $\overset{te}{ca}$ for *caritate*[31]. A sign of the early Gothic is the closed suprascript *a*.

Nomina sacra are abbreviated in the standard fashion. The scribe uses *c* for the Greek crescent sigma; he uses the *c* even when it would be appropriate only in the Greek and not in the Latin form, as in the abbreviation *aplc* for *apostolus*.

When a number is not fully written out, Roman, not Arabic, numerals are used with only a suprascript termination to distinguish them from the words of the text.

The punctuation is standard for the twelfth century[32]. A point signifies a *distinctio* or a *media distinctio*; a tick and point signify a *subdistinctio*[33]. The punctuation is inconsistent in that the scribe does not always observe the difference between a *media distinctio* and a *subdistinctio*. A small, suprascript *a* and a point comprise the interrogation mark; it is used even in indirect questions.

In the twelfth and thirteenth centuries, grammarians began to adopt liturgical punctuation as signs of the classical *distinctiones*.[34] Among the vanguard were the Cistercians, who developed a punctuation all their own. One manual[35] explains that the Cistercian practice indicated not grammatical divisions, but the position of a clause or a phrase in the sentence and was intended as an aid in the public reading of the text. A *punctum*, point, denotes the final element of the sentence; a *metrum*, tick and point, the penultimate; and a *flexus*, seven and point, the antepenultimate; the *flexus* is then repeated as often as needed.

This new form of punctuation did not enjoy immediate or universal acceptance. Though not used in strict accord with the rules, the new punctuation does appear at Clairvaux as early as the second half of the twelfth century[36]. While the consistent and correct use of the new punctuation is evident in one Clairvaux manuscript of ca. 1218[37], the old punctuation was clearly preferred throughout the late twelfth and early thirteenth centuries[38]. The scribe's use of only the *punctum* and the *metrum* reveals his preference for the older tradition or, possibly, his lack of exposure to the new.

The manuscript reveals the orthography of the twelfth century. The *ae* diphthong never appears. While *c* occasionally replaces *t* before *i* and a vowel, the older *ti* use is by far preferred. There is, however, an inconsistency here; witness; 73.36 ff. ferocia, 73.39 ferotia, 38.15 spacium, 38.16 spatio. Interesting, too, is the turn this can take: 44.20 resurectionis, 44.19 resurexione, 49.16 resurrexionem. While he commonly abbreviates *nihil* and *mihi*, the scribe, when he does write these words out, uses exclusively *ch*: 1.9 nichilominus, 10.27, 37.34, 63.31 nichil, 34.35 michi.

Other peculiarities in orthography involve the use of *h*: 63.33 carta, 65.10 archa, 77.16 cathernas, 15.12 Agar; double consonants: 3.31 seggregans, 16.4 flamascat, 36.19 sucesserunt, 40.8 aparente, 44.29 acommoda, 45.09 supletionem, 57.3 Emanuel, 75.28 opido, 78.42 glosa; *s* in combination with other consonants, in particular with *x*: 62.2 sustantivi, 62.16 sustantive, 2.28 es, 6.19 exurge, 16.27 estingue, 19.14 exequatur, 46.9 expectare, 46.35 effulxit, 56.5 expectationem, 56.11 extinguit, 62.25 exultavit, 75.6 extincta, 75.8 extinguendum, 76.39 exultat; *m/n*: 6.16 conpuncti, 9.30 nunquam, 75.45 inmunis, 76.39 tanquam, 78.30 inpietatis, 81.16 tintet; *b/p*: 81.15 optineat; *d/t*: 1.5 Set, 17.13 set; *i/y*: 28.8 Papyam, 69.20 hylari; and *e/i*: 75.44 dirivatur.

Most telling are the inconsistencies in orthography, some of them quite close to one another in the text: use of *h*: 28.11 Helya, 30.35 Elyas; double consonants: 73.15 ammirabantur, 73.17 admiratione; *m/n*: 2.22 hyens, 2.27 hyeme; *b/p*: 44.23 pubplicam, 75.45 puplicis; *d/t*: 68.7 capud, 69.3 caput; *c/q*: 62.37 loquutus, 62.42 locutus, 79.17 secuntur, 79.18 sequuntur; *i/y*: 3.11 Ysaya, 78.29 Ysaiam, 69.12 martirem, 69.13 martyrium, 69.17 martirii, 78.37 martyrium, 78.38 martirium; *ai/e*: 23.18 effrem, 23.18 effraim; and *g/i*: 81.40 iehenna, 82.13 gehenna.

CHAPTER FOUR

Corrections, Additions and Glosses

There are numerous corrections of the text. Though tedious in both the recording and the reading, the compilation of all the corrections is valuable, for it illustrates well the practices of one scriptorium[1] and the method of one scribe.

There is one instance[2] of correction by cancellation: 11.23 obmittunt / omittunt[3]. The cancellation by a point finer than that used for the text and in brown ink lighter than that of the text argues against the scribe's responsibility for this unique correction[4]. A fine point and brown ink were also used in writing two pairs of slanting lines to indicate a change in word order[5]: 40.22 quesivit quia / quia quesivit. The one other change of word order is indicated by suprascript letters written in black ink and the style of the text: 6.31 opere, corde, ore / corde, ore, opere.

When a slight change of the form of a letter was sufficient for the desired correction, the letter was altered. This occurs once in pencil: 68.17 hinc / huic. All other corrections of this kind[6] are in the black ink of the text and appear to be the work of the scribe: 2.21 suo / successiva, 2.41 ab / ad, 2.42 que / qui, 8.3 facere / facere Et, 18.11 redrere / reddere, 23.1 expositures / expositores, 23.34 rex / lex, 36.24 vita / viam, 37.35 ad / ade, 43.6 cinceritatis / sinceritatis, 43.10 cinceritate / sinceritate, 43.13 cincera / sincera, 43.15 cinceritatis / sinceritatis, 50.20 habebit / habebis, 53.16 ea / causa, 54.14 iniquitati / iniquitatum, 61.11 pupblicata / dupplicata, 64.19 est / cum, 71.29 que / qui, 75.34 oiduo / biduo, 76.13 que / qui, 77.25 terit / terra, 77.36 reddit / reddis, 78.27 cibus / cibis, 79.23 abauge / adauge, 81.29 cordu / cordis.

While suprascript letters may form part of an abbreviation, they were also used with an insertion sign to serve as a correction. It appears that this form of correction was preferred when the line of text was already written and extensive erasure would otherwise be required for making the correction within the line. A suprascript *s*, written by a fine point, in light brown ink, was used in one correction, which is inconsistent with the scribe's orthography: 15.14 abcesserit / abscesserit. A round *e*, written in black ink, but unlike the *e* of the text, appears once suprascript: 32.41 ppendit / pependit, and once over an erasure: 19.39 diabolicum / diabolice[7]. All other suprascript corrections are in black ink and in the hand of the scribe: 9.14 denomiatur / denominabitur, 29.31 calidas / caliditas, 29.38 disperantia / distemperantia, 32.28 qui / quia, 33.23 pendit / pependit, 39.8 credit / credidit[a], 39.8-9 credit / credidit[b], 40.22 invnit / invenit, 44.16 captivos / captivatos, 47.25 culpa / culpat, 50.7 auta / aucta,

51.11 evangelia / evangelista, 51.20 edomades / ebdomades, 53.8 pref
eretur / preferretur, 53.10 ali / alios, 58.27 colimus / recolimus, 59.4€
traendo / trahendo, 62.11 eultavit / exultavit, 68.6 vestio / vestigio
74.13 conserva / conservat, 75.15 Naman / Naaman, 75.18 matin
/ martini, 78.17 celerum / scelerum, 78.28 astinebat / abstinebat

The scribe used expunction when he wanted to do away with
one or more letters without creating an unsightly gap in the line of
his text. The concomitant use of other forms of correction in the hand
of the scribe, where prior expunction was essential, proves clearly
that the scribe did correct by expunction. We see the scribe's hand
at work in the alteration of letters already expunged: 8.8 liberas /
liberes, 10.24 informat / informet, 21.40 convertandas / convertendas,
35.14 quadriduanum / quatriduanum, 59.13 illuminant / illuminet,
70.12 exprimabant / exprimebant. He replaced expunged letters with
suprascript ones: 37.24 perseveret / perseverat, 46.9 nelius / melius,
46.15 enpathice / enphatice, 65.24 Dira / Dura, 74.28 inclitis / inclitus,
78.5 hec / hic. Two corrections by expunction have been erased
entirely: 42.13 rubrum rubr accipit / rubrum accipit, 66.1 compositivi
/ compositi. It is likely that the scribe is responsible[8] elsewhere for
the consistent use of expunction[9] in black ink[10]: 5.4 diabolus /
diabolum, 5.32 fili h / fili, 7.14 contingit / contigit, 7.41 initiale /
initiali, 9.39 habundabit i / habundabit, 11.42 sumus / simus, 12.8
confundantur / confundatur, 14.14 noscentibus / nocentibus, 14.17
noscentibus / nocentibus, 16.26 tollerandum / tolerandum, 17.12
descidat / decidet, 18.16 concinnendo / concinendo, 20.39 nosceant
/ noceant, 24.4 tnatum / natum, 24.15 eorit / erit, 24.26 dirupuit
/ diripuit, 29.17 laboratis h / laboratis, 29.20 promissione / promisso,
30.8 dothes / dotes, 31.30 peccatum ut a / peccatum, 31.35 iustxta
/ iuxta, 33.36 id est in quo vel / id est[a], 34.11 sanguineo / sanguine,
36.23 precedebant / precedebat, 38.25 contingit / contigit, 39.25
crimini / crimina, 39.34 purgavit / purgat, 41.16 mords / mors[b],
41.19 contingit / contigit, 41.41 iniuste / iniusta, 45.22 adhorant /
adorant, 46.32 nobilis nobili / nobili, 49.34 Quod / Quo, 52.7 ethicam
legiam / ethicam, 53.2 spsalmus / psalmus, 55.36 nuptabat / nutabat,
56.23-24 ecclesie et / ecclesie, 60.15 stabulam / tabulam, 60.22 enthna
/ ethna, 63.30 potentius / potius, 68.34 lumina / limina, 72.30
asscensiant / assensiant, 75.31 noscere / nocere, 76.20 momentaneum
est / momentaneum, 77.41 disrupisti / dirupisti, 78.7 lucto / luto,
79.15 correis / coreis, 81.7 est / et.

The scribe's concern for the appearance of his text determined
the extent to which he employed erasure as a form of correction. It
appears that he erased while writing when he caught himself in a
mistake. After he had completed his line, he erased only when his
correction would fill in the erasure entirely without being compressed
or leaving a gap. Otherwise, he would use suprascript additions or

expunged deletions. There are but four exceptions which may be attributed to the scribe[11]: 21.5 ethera / ethra, 41.40 abmisit / amisit, 64.4 trophum / tropum, 64.11 trophum / tropum. Beyond a doubt, someone other than the scribe was responsible for the unique occurrence of *hi* in the erased correction: 48.30 hii / hi. On the same folio (167r) are three other erasures which leave a gap in the word they correct and are inconsistent[12] with the scribe's orthography: 48.142 iubileus / iubleus, 48.15 iubileus / iubleus, 48.18 iubileum / iubleum. This corrector may have been responsible also for three erasures of *i* which look not to be the work of the scribe: 49.12 predicanti / predican, 56.6 Pathimo / Pathmo, 59.33 Secilie / Scilie. All other erasures[13] are taken to be the work of the scribe[14]: 1.12 tollatu(m) / tollatur, 2.39 vesperis / vespera, 3.18 nocturnalis / nocturna lux, 4.32 verba / verbum, 5.1 hii / hic, 6.2 umq (uam) / numquid, 7.26 que / qui, 7.36 Quasi / Quod, 10.9 testifica(nt) / testificatio, 10.11 per(manens) / perhennis, 10.40 (   ) / advers- itatis, 10.41 veritate / prosperitatis, 11.22 cont / ex, 11.22 sacramenta / sacramentum, 11.29 fide vir / fidei, 12.9 dilnculum / diluculum, 12.36 Qui e / Quod, 12.41 cognoscat / innotescat, 14.30 (C   ) / Eva, 14.35 mon / et, 15.31 contrarium / contra arrium, 15.34 confus- ionem / fusionem, 16.18 conversatione / conservatione, 16.23 quasi / quia si, 17.17 in(continenti) / in instanti, 17.33 necessarii / neces- saria, 18.25 negot(ium) / negotiis, 18.35 subcedens / succedens, 19.31 (   )orem / pavorem, 22.3-4 gentibus (   )bus, (   ) / sicut Iob et quidam alii, 23.25 Ex / Et, 25.8 Et / Ecclesia, 26.1-2 antonomase / antonomasice, 26.24 utrumque / utrosque, 27.31 Summi largitor premii / Illuminans altissimus micantium, 28.10 conversa quidem / conversa quondam, 28.10 (Iob) / Iosue, 28.15 regem et / regem, 28.19 quidam sperant sperant / quidam sperant, 28.21 specat / sperat[a], 28.21 Hic enim. Spem / Hec enim spes, 29.8 vobis / nobis, 29.15 un(a)m / unum, 29.26 evang(elium et) / evangelia, 29.32 merancolia / melancolia, 29.36 rationabileile / rationabile, 30.9 irrationabilitas / rationabilitas, 30.14 id herebat / adherebat, 30.33 fit / finito, 31.23 iusta / iuxta, 31.36 det / des, 32.28 idem / is, 33.31 hostem / hostes, 33.27 (   )gis / regis, 34.13 nobilem / nobile, 34.16 Subiecta / Electa, 35.5 (omnium) / gentium, 36.5 Zachario / Zacharia, 36.17 (t)el(um) / celis, 37.10 clammoribus / clamoribus, 37.25 ponunt / ponit, 38.9 co(ntri)cionem / cognicionem, 38.21 (   )g(   )m / irrogatam, 38.25 perconversa / conversa, 39.3 innutabat / nutabat, 39.5 fam(is) / famem, 39.32-33 ligatus dicitur / Christi voce ancille, 40.25 previos / previo, 40.27 (enim) dixisset (memento mei) / Audivit a Domino: Hodie, 41.21 extrabere / extrahere, 41.22 leviatam / leviatan, 41.31 est / erit, 41.41 conirrogat / irrogat, 42.7 acceptamus / accipiamus, 42.40 torstum / tostum, 42.24 protectis / protecti, 42.26 angelum qui bonum / angelum bonum qui, 42.21 emederent / comederent, 43.4 Cinceritatis / Sinceritatis, 43.4 azim(e) / azima, 43.11 e(   ) / est[a], 43.12 est cinceritatis / enim sinceritatis, 43.17-18 (   ) / que est azima sinceritatis, id est azima et

sincera ab omni corruptione peccati, 43.20 primus / prius, 43.40 hec
/ hic, 44.3 (   )m / insidias, 44.6 ex(citatur) / conicitur, 44.30
Q(uoniam) / Quo, 46.2 vestrum / nostrum, 47.11 suis / eius, 47.14
( )d(   )p( ) / de ipso et membris, 48.2 s(   ) / datur, 50.12
candatis / candacis, 52.13 pars / persona, 53.9 (s)exilla / vexilla,
53.36 extraxerat et / extraxerat, 53.37 Iohanni / Iohannis, 53.38
dilectioni / dilectione, 54.6 doleo / dolio, 55.13 martyrii / martyri,
55.17 q( ) / quod, 55.18 sui / in, 55.19 q( ) / quod, 55.26 doleo /
dolio, 56.5 sensu / censu, 56.9 (   )det / respondet, 57.34 splendens
/ splendes, 58.2 au(r)eam / aulam, 58.8 genua / genuum, 59.1 fecit
eum / fecit, 59.30 collectemur / colletemur, 60.16 sepulchra / sepulchrum, 60.30 can / ex, 62.2 (   ) / et, 62.22 natis / vatis, 63.3 (   )
/ carta, 64.10 significatione / significata, 64.21 emdiadim / endiadim,
65.18 Aliter (   ) / Aliter, 66.8 (unde dicit) / et alia, 66.13 ehelyas /
helyas, 66.24 (   ) caritatem / caritatem, 67.22 occidendum /
occidendo, 68.36 autem / ait, 69.3 cap ( ) / caput, 71.9 illustrans /
illustra, 72.17 Christi / criminis, 73.9 dicit / quod, 75.9 habundantiam / habundantia, 75.14 quod / quo, 79.3 qu(od) / quia, 80.3
parrochi( )are / parrochiano, 81.29 ecclesi(a) / ecclesie, 82.10 placided
/ placideque.

All additions to the text are written in the scribe's hand, with the
broad point and in the black ink of the text. Two additions are written
in the margin, one with an insertion sign: 7.19 predicatoris; the one
without an insertion sign corrects the omission of an entire line of
the text: 13.14 non videbunt carnem Christi glorificatam. Two additions are written below the line, one with an insertion sign: 25.13 lucere
debent; the one without constitutes the bottom line of the first column
of folio 159r: 28.19 sperant in incerto divitiarum, quidam. All other
additions[15] are suprascript, with an insertion sign in the text to show
where the addition belongs: 2.1 rerum, 3.28 enim, 3.34 videmus, 4.8
piger, 8.6 irati, 12.15 in, 15.7 anima, 15.42 confessionem, 19.34 quia,
21.30 a, 22.14 est[b], 23.25 et, 31.15 est, 31.36 in, 32.40 id est, 35.26
unus, 37.1-2 omnes obviam cursu scilicet bono. De quo Apostolus,
41.26 in anima, 42.26 qui, 43.10 scilicet, 45.2 hominis, 51.9 Filius misit
Spiritum Sanctum, 51.22, sunt, 51.27 est, 59.34-35 bonam et sanctam,
66.16 etiam, 66.16 quod unus, 67.2 dura, 71.35 que, 72.15 in, 78.22
laudes, 79.9 est.

The corrections of the manuscript argue for the presence of the
text in some form, either as informal notes or as a completed text,
prior to its being written down in the form preserved in Troyes Bib.
Mun. MS. 658. My emendation of 65.35 (post me post me / post
me) reveals scribal dittography. Haplography accounts for thirty-six
additions to the text; most telling is the addition of extended portions
of the text:

13.14 non videbunt carnem Christi glorificatam

28.19 sperant in incerto divitiarum, quidam

37.1-2 omnes obviam cursu scilicet bono. De quo Apostolus

51.9 Filius misit Spiritum Sanctum.

Similar is the correction of lengthy erasures:

27.31 Illuminans altissimum micantium

40.27 Audivit a Domino : Hodie

43.17-18 que est azima sinceritatis, id est azima et sincera ab omni corruptione peccati.

While some corrections are of a visual nature, e.g. 64.19 est / cum, where he mistook $\hat{c}$ for $\hat{e}$; others show that the scribe misheard the exemplar as it was read to him: 14.14 noscentibus / nocentibus, 14.17 noscentibus / nocentibus, 20.39 nosceant / noceant. Since there is a great difference between *nosco* and *noceo*, aside from that of conjugation whereby the form *nosceant* could never exist, this is not simply a matter of orthography. It reflects, rather, the mediaeval pronunciation of soft-c; witness further his corrections: 43.6 cinceritatis / sinceritatis, 43.10 cinceritate / sinceritate, 43.13 cincera / sincera, 43.15 cinceritatis / sinceritatis.

Elsewhere in the manuscript, the scribe has obviously misunderstood the text intended by the author, for there occur mistakes, either visual or aural, which change the very meaning of the text: 10.41 veritate / prosperitatis, 16.18 conversatione / conservatione, 16.23 quasi / quia si, 23.34 rex / lex, 34.16 Subiecta / Electa, 36.24 vita / viam, 50.12 candatis / candacis, 60.15 stabulam / tabulam, 61.11 pupblicata / dupplicata, 68.6 vestio / vestigio, 75.18 matini /martini.

Aside from our conclusions about the scribe's hearing and vision, it is logical to assume an exemplar upon which the manuscript was based. The author of the text, therefore, was not the scribe of the manuscript.

The glosses are the work of eight different glossators[16], of the late twelfth and early thirteenth centuries:

α In the margin of folio 147r, there occurs the only pencilled gloss, written in a broad Caroline minuscule. A pencil was used one other time, for a reference mark on folio 152r.

β This hand appears in nineteen glosses throughout the manuscript. The glossator used a fine to broad point[17] and dark brown ink to write his even, neat and upright letters. The ascenders begin with a slight wedge-shaped stroke. While the upright *d* does appear, the round Gothic *d* is the norm, with the initial stroke at times bending in from the left. The *st* ligature and the *or* and *pr* fusions appear. Final *s* is written as *s longata* or round *s*, most often with the final stroke bending down to the left. The gloss, written in the margin, usually in the shape of a triangle, always begins with a paragraph sign. With two exceptions, on folios 166v and 167v, a glossing sign corresponds to the sign written above the glossed word in the text. An insertion sign reinforces the glossing sign twice, on folios 155r and 163r.

γ Responsible for thirty-three glosses, this is the most common glossing hand. The glossator used a dark brown ink and a point only slightly broader than β's. The script is larger, more angular and more advanced than that used by β. The final stroke of *h* bends down in a pronounced fashion, as does the final stroke of round *s*, which is clearly preferred to *s longata* as the form for final *s*. While round *d* begins with a slight flourish, all other ascenders begin with a wedge-shaped stroke. This glossator shows the greatest variety in presenting his glosses, which may comprise only one word or a whole paragraph, written as a single line or in the form of a triangle or a square. While ten of his glosses are interlinear, most are marginal. With all, but two, of the interlinear glosses in the second half of the manuscript, it appears that the glossator adopted this form only after he became convinced of its greater convenience in writing a short gloss. With the exception of the interlinear glosses and one marginal gloss on folio 166r, a suprascript glossing sign matches one written above the glossed word in the text. Where a clause or a sentence was glossed, an insertion sign accompanies the glossing sign.

δ Responsible for only one marginal gloss, on folio 155r, the glossator used a broader point and a lighter brown ink than γ's. The script, a little larger than γ's, is more consistently Gothic *textualis*.

ε This hand wrote six marginal glosses and the *incipit* at the bottom of folio 147r. The glossator used a fine point and light brown ink. Similar to characteristics of the charter hands is the fanciful form given to some letters in the top line of a gloss, especially in the use of ligatures and tall, bifurcated ascenders. The round *d* begins with a sweeping flourish often extending over the preceding two or three letters. At times, the final stroke of *g* ends in a similar flourish. Clearly the Bastard has had an influence here. Two of his glosses, on folios 147r and 159r, lack his usual paragraph and glossing signs. While the gloss on folio 147r is written in the form of a square and the *incipit* on that folio is written as a single line, the other glosses are triangular.

ζ Only one marginal gloss, on folio 171v, was written in this hand. The script is later Gothic *textualis,* written in the form of a square, in dark brown ink, by a very broad point. An insertion sign accompanies the glossing sign.

η Using a black ink and a broad point, the glossator wrote in neat Gothic *textualis* his one triangular gloss in the margin of folio 175v. With neither a glossing sign nor an insertion sign to mark its object in the text, the gloss begins with a simple paragraph sign.

Θ The glossator used a very light brown ink and a very fine point for his sole suprascript gloss, on folio 174v.

CHAPTER FIVE

The Present Edition

In preparing the text, I have followed Jacques André's *Règles et recommendations pour les éditions critiques* (Série Latine)[1]. As a model for my edition, I have taken Cora E. Lutz's edition of *Remigii Autissiodorensis Commentum in Martianum Capellam*[2].

I have preserved the manuscript's original orthography and have expanded the abbreviations to conform to it. I have used modern, grammatical punctuation in place of the original, described in chapter three of this introduction as merely a guide for oral reading.

Since the manuscript begins a new paragraph only at the beginning of a new hymn, all other paragraphing is obviously mine. The manuscript uses capitals for the beginning of a new sentence and for some, but not all, proper nouns. My edition retains these capitals, while introducing capitals for proper nouns which are not capitalised in the manuscript. I have also used capitals for quotations from hymns and italics for all other quotations.

A page of text may have as many as three apparatuses. The first contains the glosses of the manuscript, with the glossing hands identified according to the sigla of chapter four. The proper Latin abbreviation indicates the position of the gloss as marginal or suprascript and the intention of the glossator that his gloss should or should not be inserted into the text. When a glossing sign indicates which word of the text is to be glossed, that word is given just before the gloss; otherwise, only the line(s) of the text closest to the gloss is (are) given. The second apparatus gives the sources quoted or alluded to in the text. The abbreviations used here are those of the index to the T.L.L.[3] and of Albert Blaise's *Lexicon Latinitatis Medii Aevi*[4]. Scriptural abbreviations are those of the Stuttgart edition of the *Biblia Sacra Vulgata*. The editions used are those cited by Eligius Dekkers in his *Clavis Patrum Latinorum*[5] and by Blaise in his *Lexicon*. The third apparatus gives my emendation of the text, followed by the original form of the manuscript.

In writing the introduction and the bibliography, I have tried as faithfully as possible to follow the directives of two books: John E. Warriner's *English Grammar and Composition*[6] and James D. Lester's *Writing Research Papers*[7]. I trust that my readers can sense the spirit of Will Strunk's little book, *The Elements of Style*[8], and its companion, H. W. Fowler's *Dictionary of Modern English Usage*[9]. My dictionary is the *O.E.D.*[10].

NOTES TO CHAPTER ONE

[1]The bibliography for the hymnal commentary is, by Gneuss's admission, necessarily "spärlich," (*Hymnar und Hymnen*, p. 194). To his list we can add his own contribution and that of Judson Allen: Helmut Gneuss "Die *Expositio Hymnorum*," *Hymnar und Hymnen im englischen Mittelalter* (Tübingen, 1968), pp. 194-206; Judson B. Allen, "Commentary as Criticism: Formal Cause, Discursive Form, and the Late Medieval Accessus," *Acta Conventus Neo-Latini Lovaniensis: 23-28 August 1971*, ed. J. IJsewijn and E. Kessler (Munich, 1973); John Julian, *A Dictionary of Hymnology* (London, 1892), pp. 652-53; A. Manser, "Hymnologie," *Lexikon für Theologie und Kirche*, 1st ed., V (Freiburg, 1933), 229-32; F. Brunhölzl, "Hilarius," *Lexikon für Theologie und Kirche*, 2nd ed., V (Freiburg, 1960), 568; Josef Szövérffy, *Die Annalen der lateinischen Hymnendichtung*, II (Berlin, 1965), 76, 430; Clemens Blume, *Unsere Liturgischen Lieder* (Regensburg, 1932), p. 19; W. Irtenkauf, "Hymnenerklärungen des Mittelalters," *Lexikon für Theologie und Kirche*, 2nd ed., V, 568.

[2]Manser and Gneuss cite as the earliest manuscript, the Cod. Oxonien. Laud. Misc. 40 (olim Ruffensis), S. XII. Other manuscripts appear from the thirteenth through fifteenth centuries. See Brunhölzl, 336.

[3]Ludovicus Hain, *Repertorium Bibliographicum*, I (Milan, 1948), n. 6779-94. The earliest printed edition is that of Paris, 1480. A common sub-title among the incunabula is *Expositio hymnorum cum notabili commento quod semper implicat historias cum optimis allegationibus sacre scripture illorum sanctorum vel sanctarum de quibus tales hymni decantantur.*

[4]*Unsere Liturgischen Lieder*, p. 19. See also Szövérffy, *Die Annalen*, II, 76; Ulysse Chevalier, *Repertoire des sources historiques du moyen-âge: Bio-bibliographie*, I (Paris, 1877), 1060, and *PL* 178: 1854.

[5]Allen, "Commentary as Criticism," p. 31.

[6]Johannes Adelphus, *Sequentiarum Luculenta Interpretatio* (1513); J. Wimpfeling, *Expositio Hymnorum* (1515); Judocus Clichtoveus, *Elucidatorium Ecclesiasticum* (1515); Michael of Cracow, *Expositio Hymnorumque Interpretatio* (1516); Petrus Nuñez Delagado, *Aurea Totius Anni Expositio* (1527); Antonius Nebrissensis, *Hymnorum Recognitio* (1534); Georgius Cassander, *Hymni Ecclesiastici* (1556); Georgius Fabricius, *Poetarum Veterum Ecclesiasticorum Opera* (1564). See Allen, p. 30; Szövérffy, II, 430-31; and Irtenkauf, 569.

[7]Cf. Aug. *In Psalm*. 148.17.

[8]The glossator observed the obvious parallel with Isidore's *Origines* 6.19.17. Isidore also provides this definition in his *De Ecclesiasticis Officiis* 1.6: "Carmina autem quaecumque in laudem Dei

dicuntur, hymni vocantur." See also Alan of Lille's *Dist.*, s.v.: "Hymnus, laus Dei cum cantico".

[9]The author would probably agree most readily with Gneuss's definition of hymns as "stanzaic compositions sung during the canonical hours of the Divine Office each day." See his "Latin Hymns in Medieval England," in *Chaucer and Middle English Studies in Honour of Rossell Hope Robbins*, ed. Beryl Rowland (London, 1974), p. 407.

[10]Lombard is the only twelfth-century writer whom the author mentions by name (27.3-4 of this edition).

[11]Allen, "Commentary as Criticism," p. 31.

[12]Ibid., p. 36

[13]Hilarius, *Expositio Himnorum* (Cologne, 1496), p. viii[v].

[14]See pp. xxvii-xxix.

[15]Allen, p. 36.

[16]Gneuss, *Hymnar und Hymnen*, pp. 194, 199-201.

[17]Judson B. Allen, *The Friar as Critic* (Nashville, 1971).

[18]Josef Jungmann, "The Explanations of the Mass," *The Mass*, trans. Julian Fernandes and Mary Ellen Evans (Collegeville, Minn., 1976), pp. 68-70.

[19]Beryl Smalley, *The Study of the Bible in the Middle Ages* (Notre Dame, Ind., 1970), and Robert E. McNally, "The Bible Commentaries of the Early Middle Ages," *The Bible in the Early Middle Ages* (Westminster, Md., 1959), pp. 81-117.

[20]The psalm commentaries should not be considered hymnal commentaries, since the mediaeval writers treated psalms as distinct from hymns and canticles. See Albert Blaise, "Le joie et les chants," *Le Vocabulaire latin des principaux thèmes liturgiques* (Turnhout, 1966), pp. 123-28.

[21]H. B. Workman, *The Evolution of the Monastic Ideal* (London, 1913), p. 247, and Louis Lekai, *The Cistercians: Ideals and Reality* (Kent, Ohio, 1977), p. 31. In St. Bernard's time, there were never fewer than 100 novices. At the time of his death, there were 700 professed and novices at Clairvaux. See Pierre Helyot, *Histoire des ordres monastiques*, V (Paris, 1718), 370.

[22]Matters had not improved greatly by the seventeenth century. St. Francis de Sales, presiding over the General Chapter of the Feuillant Cistercians, urged their adoption of the reformed Roman Breviary. He echoes Abelard in charging that the old Cistercian texts were "offensive, obscure and incompatible with the dignity of the Church." See Louis Lekai, *The Cistercians*, p. 257, and *The White Monks* (Okauchee, Wis., 1953), p. 182.

[23]A. Victor Murray, *Abelard and St. Bernard: A Study in Twelfth-century "Modernism"* (New York, 1967), pp. 35-36.

[24]In the fifteenth century, another Cistercian, Matthias von Königssaal, wrote a hymnal commentary. See Kassian Lauterer, "Der Hymnenkommentar Matthäus' von Königssaal," *Cistercienser-Chronik*, LXXIII (1966), 33-43, 71-75.

[25]Jean Leclercq, "Monastic Theology," *The Love of Learning and the Desire for God*, trans. Catherine Misrahi, 2nd ed. (New York, 1974), pp. 233-86.

[26]Abelard appreciated the value of hymns in teaching and was himself no mean hymnodist. See Josef Szövérffy, *Peter Abelard's Hymnarius Paraclitensis*, 2 vols. (Albany, N. Y., 1975).

[27]In this, the author fits well the description of a Cistercian writer:

> Literary cleverness falls flat, and verbal pyrotechnics repel. Anything that might tend to overlay and obscure the simple, direct Word of God is out of place.

See Chrysogonus Waddell, "Liturgy and Contemplative Community," in *Contemplative Community*, Cistercian Studies Series, XXI (Washington, 1972), 193-213.

[28]Jean Leclercq, *The Love of Learning*, p. 65

[29]Judson Allen, *The Friar as Critic*, p. vii.

NOTES TO CHAPTER TWO

[1]Chrysogonus Waddell, "The Origin and Early Evolution of the Cistercian Antiphonary: Reflections on Two Cistercian Chant Reforms," in *The Cistercian Spirit*, Cistercian Studies Series, III (Spencer, Mass., 1970), 195.

[2]*Regula Benedicti* 9.4, 12.4, 13.11, 17.8.

[3]The text of Harding's letter is printed in Fr. Waddell's "Origin and Early Evolution," p. 90

[4]Chrysogonus Waddell, "The Early Cistercian Experience of Liturgy," in *Rule and Life*, Cistercian Studies Series, XII (Spencer, Mass., 1971), 90.

[5]Louis Lekai, *The White Monks* (Okauchee, Wis., 1953), p. 25; cf. Louis Lekai, *The Cistercians: Ideals and Reality* (Kent, Ohio, 1977), pp. 26-27. When the text of the hymns was established, Stephen Harding sent monks to Metz, where, it was believed, the original melodies of St. Gregory the Great's time had been preserved. See Lekai, *The Cistercians*, pp. 250-251, and *The White Monks*, p. 175.

[6]For St. Bernard's own thoughts on these matters, see his *Prologus* to the *Tonale* (*PL* 182: 1121-22) and his *Cantum quem Cisterciensis* (*PL* 182: 1151-54). Cf. L. Bocat, "Sur une phase de la musique religieuse au temps de S. Bernard," Association bourguignonne des sociétés savantes: Congrès de 1927. *S. Bernard et son temps*, II (Dijon, 1928), 45.

[7]Lekai, *The Cistercians*, pp. 251-52, and *The White Monks*, pp. 175-76.

[8]*PL* 182: 1117-19.

[9]See Solutor Maroszeki, "Les origines du chant cistercien: La seconde reforme et ses auteurs," *Analecta S. O. Cist.* VIII (Rome, 1952), 10-14; Waddell, "The Origin and Early Evolution," 206-07, and Waddell, "The Early Cistercian Experience," 96-98. Especially valuable, too, is Josef Szövérffy's "Bernhard von Clairvaux und Nikolaus von Clairvaux," *Die Annalen der lateinischen Hymnen dichtung*, II (Berlin, 1965), 77-86.

[10]Waddell, "The Early Cistercian Experience," 97.

[11]Helmut Gneuss laments that the *Analecta Hymnica*, "admirable as they are, do not represent a definitive edition of the Latin hymns," and that the tradition of the "Old Hymnal" has yet to be established. See his "Latin Hymns in Medieval England," in *Chaucer and Middle English Studies in Honour of Rossell Hope Robbins*, ed. Beryl Rowland (London, 1974), p. 408. Given the paucity of published research on the hymnal text tradition, it should come as no surprise that there is very little established concerning the text tradition of the Cistercian hymnal. While the table of variants given in Appendix A suits the purposes of this edition, the need remains

for a critical edition of the Cistercian hymnal which reflects the full textual tradition. Steps in this direction are provided by Bernard Kaul, "Le psautier cistercien--Appendice: Table analytique de l'hymnaire cistercien," *Collectanea Ordinis Cisterciensium Reformatorum* XIII (1951), 257-72, and A. Noblet, "L'hymnaire cistercien," *Revue Mabillon* II (1906), 93-96.

[12]For the dating of this manuscript, see Jean Leclercq, "Textes cisterciens à la bibliothèque de Colmar," *Analecta S. O. Cist*. X (1954), 313. This same manuscript was one of two used by C. Weinmann for his *Hymnar der Zisterzienser-Abtei Pairis im Elsass aus zwei Codices des 12. und 13. Jahrhunderts* (Regensburg, 1905).

[13]For the dating of this manuscript, see Jean Leclercq, "Textes et manuscrits à la Bibliothèque Vaticane," *Analecta S. O. Cist*., XV (1959), 87, and Pierre Salmon, *L'Office divin au Moyen-Âge* (Paris, 1967), p. 75.

[14]Colmar Bibl. Mun. MS. 442 and Vatican, Chigi, C. V. 138 were used in compiling this table because of their importance cited by J.-M. Canivez in "Le rite cistercien," *Ephemerides Liturgicae* LXIII (1949), 282. Canivez also mentions Erlangen Bibl. MS. 142, which I have not used here because it is in very poor condition and is dated thirteenth century.

[15]Denis Farkasfalvy, "The Role of the Bible in St. Bernard's Spirituality," *Analecta Cisterciensia* XXV (1969), 3-4.

[16]Raymond Martin, "La formation théologique de S. Bernard," *S. Bernard et son temps*, I, 234-40.

[17]See J. de Ghellinck, *Le mouvement théologique du xiie siècle*, 2nd ed. (Paris, 1948); P.-M. Gy, "Histoire liturgique du sacrement de pénitence", *La Maison Dieu*, LVI (1958), 5-21; P. Palmer, *Sacraments and Forgiveness* (Westminster, Md., 1959); Bernhard Poschmann, *Penance and the Anointing of the Sick*, trans. Francis Courtney (New York, 1964); H. Rondet, "Esquisse d'une histoire du sacrement de pénitence," *Nouvelle Revue Théologique*, LXXX (1958), 561-84, and Cyrille Vogel, *Le pécheur et la pénitence au moyen-âge* (Paris, 1969).

NOTES TO CHAPTER THREE

[1]The first four hands are early Gothic *textualis* of the twelfth century; the fifth is Gothic *notula* of the fifteenth century. For the terminology used here see Bernhard Bischoff, "Paläographie," *Deutsche Philologie im Aufriss*, ed. Wolfgang Stammler, I (Berlin, 1966), 379-451. See also B. Bischoff, G. I. Lieftinck, and G. Battelli, *Nomenclature des écritures livresques du ixe au xvie siècle*, Colloque international de paléographie latine, No. 1 (Paris, 1953).

[2]The manuscript probably received this number when the first inventory of manuscripts was made at Clairvaux in the late twelfth century. See Ambrosius Schneider, "Skriptorien und Bibliotheken der Cistercienser," *Die Cistercienser: Geschichte, Geist, Kunst*, ed. Ambrosius Schneider, Wolfgang Bickel, and Ernst Coester. (Köln, 1974), p. 443, and A. Vernet, "Note sur la Bibliothèque de Clairvaux," in Commission d'histoire de l'ordre de Cîteaux, *Bernard de Clairvaux*. (Paris, 1953), p. 555.

[3]The entry for the *Vita Epiphanii* was later cancelled.

[4]H. d'Arbois de Jubainville, *Etudes sur l'état interieur des abbayes cisterciennes et principalement de Clairvaux au xiie et xiiie siècles*. (Paris, 1858), pp. 75-77. See also A. Vernet, "Un abbé de Clairvaux bibliophile, Pierre de Virey (1471-96)," *Scriptorium*, VI (1952), 76-88, and A. Vernet, "Autour du catalogue de la bibliothèque de Clairvaux en 1472," *Bibliothèque de l'Ecole des Chartes*, CX (1952), 210-20.

[5]This shelf number is found at the bottom of fol. 177v, the second to last folio of the *Explanatio*. Most likely, the commentary on the *Almi Prophete* was bound with the other works after the catalogue of 1472 was compiled.

[6]Lucien Morel-Payen, *Les plus beaux manuscrits et les plus belles reliures de la Bibliothèque de Troyes*. (Troyes, 1935), p. viii.

[7]France: Ministère de l'instruction Publique et des Beaux Arts, *Catalogue général des manuscrits des bibliothèques publiques des départements*, Quarto Serie, II (Paris, 1855), 275-77.

[8]In his *Bibliotheca Scriptorum Sacri Ordinis Cisterciensis*, 2nd ed. (Cologne, 1656), p. 244, Carolus deVisch writes: "Monachi alterius, explicatio hymnorum ordinis Cisterciensis, extat in Villario." But he does not in any way associate this with the *Explanatio super Hymnos quibus Utitur Ordo Cisterciensis* in Troyes Bib. Mun. MS. 658, about which he writes in his *Auctarium* of 1665:

Anonymus monachus scripsit insignem Expositionem omnium hymnorum, quibus per annum utitur Ordo Cisterciensis. Cuius operis prologus sic incipit: Cum David ex mandato patris visitaturus fratres perrexisset ad castra, &. Asservatur in Claravalle. Catalogus bibliothecae Claraevallensis ad me transmissus.

Alius item anonymus scripsit elegantem expositionem omnium hymnorum, quibus per annum utitur sacer Ordo Cisterciensis, cuius operis Prologus sic incipit:

Cum David ex mandato patris visitaturus fratres perrexisset ad castra &. Servatus in Claravalle. Catalogus bibliothecae Claraevallis ad me missus.

See P. J. Canivez, "Auctarium D. Caroli deVisch ad Bibliothecam Scriptorum S.O.C.," *Cistercienser-Chronik* XXXIII (1926), 91, 355. Whether the text of the Villers *Explicatio* was the same as that of the Clairvaux *Explanatio* can hardly be decided today, since it appears to be no longer extant. Fr. Raymond Milcamp, who has done extensive bibliographical research on Cistercian liturgical manuscripts, makes no mention of it. No such work is to be found in the catalogue of the *Bibliothèque Royale*, Brussels, where most of the Villers manuscripts are today. Possibly it was destroyed when the Abbey of Villers was sacked in 1566, or burnt in 1794, or suppressed in 1796. See Frédéric van der Meer, *Atlas de l'ordre cistercien* (Paris, 1956), pp. 301-02.

[9]These figures were obtained by measuring folio 155r. See L. Gilissen, "Un Elément codicologique trop peu exploité, la réglure," *Scriptorium*, XXIII (1969), 150-62.

[10]Folio 178, the final folio of the manuscript, is written in a far more compact form than the rest of the text. Accordingly, 178r is written in two columns of forty-five lines each, and 178v is written in two columns, the first of forty-three lines and the second of forty-six lines. The first column of 159r has an extra line added at the bottom, giving it thirty-four lines.

[11]The rubricator omitted the capital at the beginning of *Iesu Corona Celsior*, at the top of 178r.

[12]On fol. 147r, the scribe used red ink for his *incipit* at the top of the page and for the *explicit* at the end of the *prologus*. He used a lighter brown ink for fifteen lines on fol. 171v (Pietas....mundi.).

[13]Jean Porcher, "The Art of Illumination at Cîteaux and Clairvaux," trans. Paul Veyriras, *L'art cistercien*, ed. M.-Anselme Dimier and Jean Porcher, 2nd ed. (Yonne, 1974), p. 359.

[14]Bernard of Clairvaux. *Opera Omnia*, ed. Jean Mabillon, in *Patrologia Latina*, ed. J.-P. Migne, (Turnhout, 1966), CLXXXII, col. 916. Bernard's scorn of overly ornamented reliquaries rightly applies to manuscript illumination as well: "Ostenditur pulcherrima forma sancti vel sanctae alicuius, et eo creditur sanctior, quo coloratior." (col. 915).

[15]Francois Kovács, "A propos de la date de la redaction des *Instituta Generalis Capituli apud Cistercium,*" *Analecta Sacri Ordinis Cisterciensis*, VII (1951), 89.

[16]Stephen Harding's Bible is Dijon Bib. Mun. MSS. 12-15. See A. Lang, "Die Bibel Stephen Hardings," *Cistercienser-Chronik*, LI (1939), 247-56, 275-81, 294-98 and 307-13. Jean Leclercq dismisses the tradition that Troyes Bib. Mun. MS. 458 was St. Bernard's Bible, because the initials are hardly what Bernard would have allowed. See

"La bible de S. Bernard," *Analecta Sacri Ordinis Cisterciensis*, XIV (1953), 194-97. Noteworthy are St. Jerome's *Letters* (Dijon Bib. Mun. MS. 135) and St. Jerome's *Commentary on Isaias* (Dijon Bib. Mun. MS. 129). For illustrations of these and other Cistercian illuminations, see Christopher Brooke, *The Monastic World: 1000-1300* (New York, 1974), pp. 28 and 126; M.-Anselme Dimier and Jean Porcher, *L'art cistercien* (Yonne, 1974), pp. 323-30 and 334-38; Charles Oursel, *Miniatures Cisterciennes: 1109-1134 (Mâcon, 1960). See also A.-M. Armand*, "Les manuscrits cisterciens," in *S. Bernard et le renouveau de l'iconographie au xiie siècle* (Paris, 1944), pp. 22-26.

[17]Commission d'histoire de l'ordre de Cîteaux, *Bernard de Clairvaux* (Paris, 1953), p. 528; Jean Porcher, Ambrosius Schneider, p. 436; Angelico Surchamp, "L'espirt de l'art cistercien," *L'art cistercien*, p. 21.

[18]For examples of monochrome capitals from the mid-twelfth century and later, see Troyes Bib. Mun. MSS. 441, 528 and 284. Treatment of their ornamentation and dating is provided by C. Samaran and R. Marichal, eds., *Catalogue des manuscrits en écriture latine portant des indications de date, de lieu ou de copiste*, V (Paris, 1965), 461-67.

[19]Troyes Bib. Mun. MSS. 225, 212, 284, 1412, 946 and 882. See Samaran and Marichal, 457-501. André Vernet sees a distinct Cistercian style revealed in the manuscripts executed at Clairvaux in the twelfth century: "manuscrits de grand formation général, à deux colonnes, d'une justification aérée et équilibrée, en minuscule romane élégante et régulière, sobrement illustrée de simples initiales alternativement rouges, bleues, vertes et quelquefois jaunes." See his "Note sur la Bibliothèque de Clairvaux," p. 556.

[20]For a discussion of Gothic *textualis*, see Bernhard Bischoff, "La nomenclature des écritures livreques du ixe au xiiie siècle," *Nomenclature des écritures livresques*, pp. 7-14; Bischoff, "Paläographie," 422-32; Joachim Kirchner, "Die gotischen Schriftarten in der Epoche der Handschrift," *Die gotischen Schriftarten*, ed. Ernst Crous and Joachim Kirchner (Liepzig, 1928), pp. 7-39; B. L. Ullman, "The Gothic Script of the Late Middle Ages," *Ancient Writing and its Influence* (Cambridge, Mass., 1969), pp. 118-36.

[21]Proper to twelfth-century script is the awkward "hesitation between round and square". See Ullman, p. 129. Jacques Stiennon cautions our viewing the transition from Caroline to Gothic, not as a revolution, but as simple evolution. See his *Paléographie du moyen-âge* (Paris, 1973), p. 107.

[22]Porcher, p. 359.

[23]Kirchner, pp. 11-12. See Kirchner's facsimiles 8 and 11; these are the same as Bischoff's facsimiles 11 and 12 in his "Nomenclature des écritures," pp. 13-14. The script of our text is far closer to that of Kirchner's facsimile 3, twelfth-century *gotische Buchschrift*, from

he Cistercian abbey of Himmerod, a Clairvaux daughter-house,
stablished in 1134 by Bernard.

[24]It should be noted that Harrison Thomson calls similar
xamples of this stroke "clubbing." He does this inconsistently through-
ut his *Latin Bookhands of the Later Middle Ages: 1100-1500*
Cambridge, 1969). Until a definitive English terminology is proposed,
ve must content ourselves with the pedestrian descriptions such as
have proposed here.

[25]The scribe at times fuses a majuscule *R* with the preceding *a*.

[26]While *e caudata* never appears, the scribe does write out *ae*
vhen dealing with the disyllabic *aer, aeris*.

[27]Giulio Battelli remarks that Gothic capitals comprise an
xpansion upon the uncial script. See his *Lezioni di paleografia*
Vatican City, 1936), p. 194. See also Stiennon, p. 114.

[28]Battelli, p. 194.

[29]Bischoff, "Die Abkürzungen," in *Paläographie*, 435-36. See
ılso Marie-Hyacinthe Laurent. *De Abbreviationibus et Signis Script-
ırae Gothicae* (Rome, 1939).

[30]Later in the Gothic period, a vertical stroke replaced this sign.

[31]This highly compact form of abbreviation may represent the
Cistercians' peculiar desire to save space and thus make the most of
:heir parchment. It is not considered in any of the manuals on palaeography. See Battelli, p. 94, Bischoff "Paläographie," 435-36, and
Stiennon, p. 128.

[32]Battelli, p. 185, and Bischoff, *Paläographie*, pp. 438-39.

[33]I use here the terminology of Isidore of Seville and of
Hildemar. See Isid., *Orig.*, 1.19, and *Epistola Hildemari monachi
Ursoni electo Beneventano*, in F. Novati's "Di un *Ars Punctandi*
erroneamente attribuita a Francesco Petrarca," *Reale Istituto
Lombardo di Scienze e Lettere: Rendiconti*, ser. 2, vol. 42 (Milan,
1909), pp. 107-08.

[34]Bischoff, 438, and J. Moreau-Marechal, "Recherches sur la
ponctuation," *Scriptorium*, XXII (1968), 63.

[35]The manual appears as an appendix to the *Ordinarium
Cisterciensis Ordinis*, in a fourteenth-century Clairvaux manuscript,
Troyes Bib. Mun. MS. 1154. The text of this work is printed in N.
R. Ker's *English Manuscripts in the Century after the Norman
Conquest* (Oxford, 1960), pp. 58-59.

[36]Troyes Bib. Mun. MSS. 426, 1007, and 591.

[37]Troyes Bib. Mun. MS. 1158.

[38]Troyes Bib. Mun. MSS. 441, 528, 225, 284, 212, 1412, 230 and
523.

D

NOTES TO CHAPTER FOUR

[1]Aside from the invaluable contributions of Prof. Schneider Prof. Vernet, and Dom Wilmart, there is precious little written about the scriptorium and the library at Clairvaux. It is hoped that this chapter may add to that body of scholarship. In her article "Un copiste lettré de l'abbaye de Saint-Victor de Paris au XIIe siècle," *Scriptorium*, XXX (1976), 232, Francoise Gasparri comments on the significance of and the need for such a study as is undertaken here:

> Pour qui entreprend d'étudier la vie intellectuelle dans les monastères du moyen âge, il n'est pas de problème plus difficile que de savoir comment était organisé et réparti le travail de copie des textes, comment et par qui était dirigée et contrôlé cette besogne collective, qui enfin avait la garde des manuscrits, le soin de préserver leur intégrité matérielle et de dresser les tables des oeuvres qu'ils contenaient

[2]The first nine words of one marginal gloss have been deleted by cancellation: 19.42 *marg. gl.* Unde in Ysaya: Vapor ignis flammanti in die. Et

[3]Here and throughout the chapter on corrections, reference is made to the page and line of this edition. The original form precedes the corrected. If the same word appears more than once in a line, a suprascript letter indicates its place in the line, e.g. the third *es* in a line is written: est[c].

[4]Unless otherwise noted, a correction that appears not to have been the work of the scribe is not preserved in this edition. Accordingly, the text here reads *obmittunt*. All corrections of the glosses are preserved, as in the one marginal correction by expunction: 81.30 toiment / timent.

[5]In one marginal gloss, similar slanting lines indicate a change in word order: 49.38 *marg. gl.* feci ego / ego feci.

[6]This form of correction appears in one marginal gloss: 80.41 *marg. gl.* resonet / resonat.

[7]Although the two corrections with the round *e* appear not to be the work of the scribe, it would have been necessary to emend the text to read as it has been corrected. This edition, therefore, presents the corrections by another only in these two places.

[8]One might argue the scribe's responsibility for corrections that are strictly orthographic, e.g. adhorant / adorant, dothes / dotes, concinnendo / concinendo, correis / coreis, tollerandum / tolerandum, asscensiant / assensiant, descidat / decidat. Typical of the scribe's problems with the use of *h*, double consonants and *s* in combination with other consonants, the corrected forms are consistent with the scribe's orthography in uncorrected sections of the text: 63.33 carta, 15.12 Agar, 57.3 Emanuel, 75.28 opido, 62.19 gramaticam, 2.28 es (for *ex*), 6.19 esurge, 19.14 exequatur.

[9]Expunction appears in three glosses: 18.42 *marg. gl.* claudo / clauso, 66.38 *marg. gl.* sicut quos / quos, 81.43 *marg. gl.* toiment / timent.

[10]Brown ink and a fine point were used once for expunction: 2.2 substantive / sustantive.

[11]While the correction to *ethra* leaves a gap, it is consistent with the spelling of *ethram,* written only four lines below without any sign of having been corrected. Since the scribe would probably have been comfortable with either the corrected or the uncorrected forms of *amisit* and *tropum,* this edition prints the corrected.

[12]While the other dictionaries and glossaries altogether ignore *iubleus, The Revised Medieval Latin Word-List,* ed. R. E. Latham (Oxford, 1965), p. 263, cites its use in Insular sources no earlier than 1451.

[13]Where I am not entirely certain of the uncorrected form, my conjecture is put in parentheses. Where the original is beyond all recognition, the space in parentheses represents the space for letters that were erased.

[14]There are two erasures among the glosses: 13.35 *marg. gl.* hostia / ostia, 60.44 *marg. gl.* vere (   )coluit.

[15]The scribe omits the insertion sign once: 59.34-35 bonam et sanctam.

[16]Since the ink and the point on the rough hair side of the parchment appear darker and broader than they do on the flesh side, only a most careful study of the manuscript *in situ* can reveal the differences among the glossing hands, β, γ, δ, ε. Especially helpful is the appearance of several different glossators on the same folio. On folio 161v, β was able to write two glosses in the margin directly opposite the sections of the text that they are meant to gloss, while γ must have come to the text later and had to write his gloss at some distance from his glossed word because the better location was already taken by β's glosses. On folio 175r, two glosses, clearly the work of two different glossators, β and ε, appear side by side with the same glossing sign. β again had his choice of the location for his gloss and forced ε off to the side.

[17]Even the broadest point used for glossing was finer than that used by the scribe of the text. In this section, a point is described as broad or fine relative only to the other glossing hands.

NOTES TO CHAPTER FIVE

[1]Collection des universités de France: L'Association Guillaume Budé (Paris, 1972).

[2]2 vols. (Leiden, 1962-65).

[3]*Thesaurus Linguae Latinae* (Leipzig, 1900-   ).

[4](Turnhout, 1975).

[5]3rd ed., (Steenbrugge, 1961).

[6](New York, 1963).

[7](Glenview, Ill., 1967).

[8]rev. by E. B. White, 2nd ed. (New York, 1972).

[9]rev. by Sir Ernest Gowers, 2nd ed. (Oxford, 1965).

[10]*The Oxford English Dictionary* (Oxford, 1971).

EXPLANATIO SUPER HYMNOS QUIBUS UTITUR
ORDO CISTERCIENSIS

1. Cum David ex mandato patris visitaturus fratres perrexisset
ad castra, pugnante utrimque exercitu, audivit Goliath Philisteum
ad singulare certamen filios Israel provocantem ut ipse unus cum uno
dimicaret sub hac lege, ut alterius victoria populo suo victoriam
obtineret. Set cum ad adventum eius videret totum Israel fugientem   5
et pugnam singularem congredi metuentem, graviter indignatus et
Spiritus Sancti instinctu ad pugnam accensus, licet Heliab frater suus
eum argueret et de temeraria presumptione immo superbia notaret,
nichilominus incircumcisum invasit, prostravit et capud eius proprio
ipsius gladio amputavit.   10
Ecce, fratres, quasi pugnam assumpsi ut gladio studii mei cuiusdam
littere penetretur obscuritas et tollatur et ad lucem intelligentie pro
facultate mea scripture nubilum deducatur. Set scientia non sufficit,
ingenium refugit, etas refragatur timens ne illusorie proclametur: Ecce
homo qui *cepit edificare et non potuit* ydonee *consummare.*   15
Presumptuosum et nimis audacem me poterit aliquis iudicare, quia
discreti nondum ad hoc opus arduum accesserunt aut quia maioribus
erant occupati aut quia suis studiis leviora credebant. Qualiscumque
tamen fuerit eorum sententia, profiteor et merito profiteri possum
quod labor assumptus excedit vires meas nec sine correctione alterius   20
in hoc poterit commendari; gloriam tamen meam non quero set
utilitatem fratrum, quorum quidam ut asserunt quia non intelligebant
obscuritatem verborum legendo sive canendo, minor eorum devotio
habebatur. Eorum itaque preces in aliquo me excusant lectoribus
supplicantem ut michi de minus benedictis indulgeant, et siquid   25
corrigendum viderint, cum omni diligentia et nostra gratiarum
accione ad correctionem et pleniorem intelligentiam reducant.

2. ETERNE RERUM CONDITOR. *Hymnus est laus Dei cum*
cantico. Canticum est exultatio mentis habita de eternis in vocem pro-
rumpens. Hymnus iste decantatur in honore Dei, ad quem sermo diri-   30
gitur. Dicatur ergo ETERNE RERUM CONDITOR et cetera. Cave
ne hoc adiectivum ETERNE more adiectivorum determinet illam
orationem inperfectam, RERUM CONDITOR, ne videatur conditio

28-30 *marg. gl.* ε *Ysidorus:* Hymnus est canticum laudantium quod de Greco
in Latinum laus interpretatur pro eo quod sit carmen leticie et laudis. Proprie autem   35
hymni sunt continentes laudem Dei. Si ergo sit laus et non sit Dei, non est hymnus.
Si sit et laus et Dei laus et non cantetur non est hymnus. Si ergo et in laudem Dei
dicitur et cantetur, tunc est hymnus, cui contrarium est threnum quod est carmen
lamenti et funeris.

1-10 Cf. 1 Sm.17   15 Lc.14.30   28-30 Petr. Lomb. *In Psalm.* praef.   34 Aug.
Trin. 5.16-17   35-39 Isid. *Orig.* 6.19.17

rerum eterna. Ideo sic lege O CONDITOR RERUM ETERNE, id
est qui es eternus. Vel ETERNE dicatur substantive, hoc modo O
ETERNE tu videlicet conditor rerum. In hoc sensu ponitur in psalmo
Athanasii: *Et tamen non tres eterni set unus eternus.* Isti vocativi
5   videntur carere /147v/ verbo, nisi forte dicatur quod respitiunt ad
finem hymni ubi dicitur IESU, PAVENTES RESPICE. Set quia long-
issimum esset yperbaton, subaudiatur EXAUDI NOS vel aliquid tale
quod congruat littere.
      NOCTEM DIEMQUE QUI REGIS. NOCTEM scilicet mater-
10   ialem et DIEM materialem ad litteram. Vel secundum spiritualem
intelligentiam per noctem intellige carnales, per diem spirituales. Unde
in psalmo: *Tuus est dies et tua est nox,* id est tui sunt spirituales et
carnales. Vel per noctem intellige adversitatem, per diem prosperitatem.
Unde in psalmo: *Per diem sol non uret te neque luna per noctem,*
15   id est prosperitate non uret te estus dissolutionis, neque in adversitate
errabis in fide et doctrina ecclesie. Ista duo regit Deus in electis suis,
in quibusdam scilicet ut nequaquam frangantur adversis aut extoll-
antur prosperis, sicut patet in Iob et Thobia; in quibusdam ut ante
mortem peniteant, exemplum habes in David et Petro.
20   ET TEMPORUM DAS TEMPORA UT ALLEVES FASTIDIUM,
id est tempora successiva temporum. Hec sunt quatuor tempora anni:
hyens, ver, estas, et autumnus. In his variantur quantitates dierum
et noctium et aeris qualitates. Si enim in toto anno una esset equalitas
dierum et noctium — aut continuum frigus quale est in hyeme, aut cont-
25   inuus calor qualis est in estate — idemptitas pareret fastidium et noceret
corporibus. Preterea ad utilitatem facit varietas temporum, quia in
hyeme concipit terra, in vere parit, estas nutrit fructus et maturat,
autumpnus colligit, et ex his homines sustentantur.
      PRECO DIEI IAM SONAT. Preco diei dicitur gallus materialis, qui
30   dicitur preco diei, quia prenuntius est diei. Iste significat predicat-
orem. Unde apud Salomonem: *Tria sunt que bene gradiuntur et
quartum incedit feliciter: leo fortissimus bestiarum ad nullius pavebit
in*cursum, id est Christus, *gallus succinctus lumbos,* id est predicator
bonus continenter vivens, *aries nec est qui resistat ei,* id est prelatus,
35   dux gregis, *stultus* cum *elevatus* fuerit *in sublime,* id est antichristus.
Item in Iob: *Quis dedit gallo intelligentiam,* id est doctori? Deus
scilicet. In hoc loco potest accipi preco diei sermo divinus vel doctor
ecclesiasticus, quia uterque nuntiat diem vite eterne, qui mane habebit
et vespera carebit. De utroque potest legi quod sequitur. Dicatur ergo
40   PRECO DIEI IAM SONAT, id est sermo divinus vocibis cantantium.
Ad litteram, cum de nocte surgitur ad laudandum Deum circa principium, occurrit sermo divinus qui nos invitat exultare in Domino,

---

   4 psalmo *marg. gl. α* sinbolo

---

   4 Athan. *Symb.* 11   12 Ps.73.16   14 Ps.120.6   18-19 Cf. Iob 1.6-2.13; Tb.
2.1-3.6   19 Cf. Petr. Lomb. *Sent.* 4.17.2; 2 Sm.11-12; Ps. 50; Mt. 26.69-75; Mc. 14.66-72;
Lc 22.56-62; Io 18.25-27   21-22 Cf. Isid. *Orig.* 5.35.1   31-35 Prv. 30.29-32   36 Iob 38.36

---

   28 ex: es, *cod.*

confiteri peccata et laudes, in psalmo iubilare, id est bene operari, et ad hoc faciunt que secuntur et nocte et die.

NOCTIS PROFUNDE PERVIGIL. Pervigil dicitur sermo divinus, quia pervigiles nos facit, sicut frigus pigrum dicitur, quia pigros facit. Sane /148r/ sermo divinus monet nos ad vigilandum. Unde Dominus in evangelio: *Vigilate ut non intretis in temptationem.* Item: *Vigilate, quia nescitis diem neque horam.* Item apostolus: *Evigilate, iusti* et cetera. Item in apocalipsi: *Beatus qui vigilat et custodit vestimenta sua ne nudus ambulet* super terram. Noctem profundam dicit vitam presentem, in qua profunda est obscuritas ignorantie. Unde in Ysaya: *Anima mea desideravit te in nocte,* id est in presenti vite obscuritate. Ante peccatum homo non erat obfuscatus tenebris ignorantie, quia sciebat que tenebatur scire. Set orto peccato orta est ignorantia. Unde apostolus: *Videmus nunc per speculum et in enigmate* et cetera. Et Ysayas: *Populus qui ambulat in tenebris* scilicet ignorantie. Hoc quidem potest intelligi de doctore ecclesiastico et ea que secuntur.

NOCTURNA LUX VIANTIBUS. Viatores dicuntur in presenti vita, comprehensores in patria. Unde apostolus: *Nondum arbitror me comprehendisse.* Viatores dicuntur proprie qui ambulant in via, id est in Christo, id est in fide eius operante per dilectionem. Unde Dominus: *Ego sum via, veritas, et vita.* Moyses dicit pharaoni ex mandato Domini: *Ibimus viam trium dierum ut* sacrificemus *Deo nostro.* Hec via est: fides, spes, caritas, vel contricio, confessio, satisfactio, vel munda cogitatio, circumspecta locutio, bona operatio. Qui alia via incedit in invio ambulat. Unde in psalmo: *Errare fecit eos in invio et non in via.* Sermo divinus dicitur lux nocturna, id est lux in presenti vita. Illuminat enim multos ad percipiendum lumen fidei.

A NOCTE NOCTEM SEGREGANS, id est peccatorem ad veniam currentem segregans a diabolo, a quo fuit initium peccati, vel seggregans ab alio peccatore in malitia sua perdurante. Unde apostolus: *Si infidelis discedit discedat.* Et Dominus in evangelio: *Consurget pater* adversus *filium, et filius* adversus *patrem.* Hec quidem videmus contingere hodie frequenter in illis qui relicto consortio malorum veniunt ad spiritualem vitam religionis.

HOC EXCITATUS LUCIFER, quasi sermone divino canente vel doctore predicante LUCIFER EXCITATUS et cetera. Lucifer dicitur Christus. Unde Dominus ad Iob: *Nunquid produces luciferum in tempore suo,* id est, nunquid facies incarnari Filium meum tempore plenitudinis? De quo apostolus: Cum *venit plenitudo temporis* et cetera, quasi non tu set ego. Iste lucifer dicitur dormire in nobis quando fides eius dormit, id est ociosa est in nobis. Ociosa dicitur

1-2 Cf Ps. 94.1-2   6 Mt. 26.41; Mc 14.38   7 Mt. 25.13   8 1 Cor. 15.34   8-9 Apc. 16.15   11 Is. 26.9   14-15 1 Cor. 13.12   15 Is 9.2   18-20 Cf. Petr. Lomb. *Sent.*   3.31.3; Helin. *Serm.* 19; Petr. Bless. *Ep.* 229   19-20 2 Phil. 3.13   22 Io. 14.6   23 Ex. 3.18   23-24 Cf. Petr. Lomb. *Sent.* 4.16.1   26-27 Ps. 106.40   32 1 Cor. 7.15   33 Lc. 12.53; cf. Lc.21   10; Mt. 10.35   38-39 Iob 38.32   39-40 Gal. 4.4

quando non operatur per dilectionem. Unde Iacobus: *Fides sine operibus ociosa est* sive *mortua.* Christus excitatur in nobis quando fides eius excitatur in nobis ad operandum. Deus dat gratiam operantem, id est fidem, ut homo bene ve/148v/lit, dat cooperantem
5 ne frustra velit; frustra vult qui non operatur. Unde apostolus: *Et gratia eius in me vacua non fuit.* Plerumque percepto sermone De vel audito predicatore, qui negligens erat excitatur ad operandum, exemplo formice, de qua Salomon: *Vade, piger, ad formicam et considera viam eius et disce* ab ea disciplinam; *que cum non habeat*
10 *ducem* aut *preceptorem* aut *principem, parat sibi in estate cibum et congregat in messe quod comedat* in hyeme. Item: *Piger noluit propter frigus arare* in hyeme et *mendicabit in estate.* Item Dominus: *Qui erubuerit me* coram hominibus, erubescam eum coram Patre meo et angelis eius. Hec et his similia excitant plerumque negligentem ad
15 bene operandum, et hoc facit verus lucifer, id est Christus.

Unde subdit SOLVIT POLUM CALIGINE, id est liberat animam a peccato ignorantie. Et hoc quidem potest, cum enim ipse sit sapientia Patris, ignorantiam tollere potest. Quando enim aliquis, relicta sapientia mundi, ascendit ad sapientiam Dei, de stulto fit
20 sapiens, de ignorante sciens, quia sapientia huius mundi stulticia est apud Deum. Vel per luciferum intelligatur clarus anime intellectus. Unde in epistola Petri: *Lucifer oriatur in cordibus vestris,* id est clarus intellectus fulgeat in cordibus vestris. Intellectus noster sopitus est in nobis quando torpescit ad bene operandum. Resurgit quando
25 excitatur ad merendum et tunc solvit polum caligine, quia tunc excitat se a tenebris ignorantie ut videlicet Deum cognoscat, cognitum diligat, dilecto fruatur, ut tandem manifeste videat Deum deorum in Syon. Vel per luciferum accipiatur vir sanctus. De quo in Ysaya: *Orieris ut lucifer,* id est claresces adinstar viri sancti, et est idem sensus.
30 HOC OMNIS ERRORUM CHORUS VIAM NOCENDI DESERIT. Errorum chorus intelligitur diabolus, heretici et alia membra eius. Cum verbum Dei devote auditur, cum doctor ecclesie ad salutem anime auditur, fugit diabolus, fugiunt et membra eius, quia ingreditur Spiritus Sanctus. Computrescit enim iugum peccati a facie olei, id
35 est a presentia gratie spiritualis. *Nemo* enim *potest servire Deo et mammone.* Angustum est stratum, breve est pallium, non potest duos cooperire. Inde est quod diabolus et membra eius viam nocendi deserunt, cum laborem suam inutilem vident. Diabolus et membra eius per choros errorum significantur, quia errant et ad errorem trahunt.
40 Unde apostolus: *Omnes qui pie volunt vivere in Christo Iesu persecutionem patientur*; mali autem homines et seductores proficiunt in peius errantes et in errorem mittentes.

HOC NAUTA VIRES /149r/ COLLIGIT. Nautem accipit prelatum qui navem ecclesie sibi commisse regere debet in mari huius mundi et

---

1-2 Iac. 2.20, 2.26   3-5 Cf. Petr. Lomb. *Sent.* 2.26.1   5-6 1 Cor. 15.10   8-11 Prv.6.6-8 11-12 Prv. 20.4   12-14 Lc. 9.26; cf. Mt. 10.32   22 2 Pt.1.19   28 Iob 11.17; cf. Is. 14.12 34-35 Petr. Lomb. *Sent.* 4.23.3   35 Mt. 6.24; Lc. 16.13   36 Cf. Mt. 7.14   40-41 2 Tim. 3.12

ducere ad portum salutis. Hic autem cum videt auditores suos proficere ad doctrinam suam et diabolum debilitari, cui non datur virtus nisi per peccata nostra, vires colligit ut fortius impugnet et expugnet diabolum.

Et inde PONTI FRETA MITESCUNT, id est fremitus et turbationes mundi mitiores redduntur. Cum enim iusti clamant ad Dominum, sicut habetur in evangelio de apostolis eius, tempestas mundi aut omnino tollitur aut tollerabilior redditur. Unde in psalmo: *Motum autem fluctuum eius tu mitigas.* Item: *Si dicebam: "Motus est pes meus", misericordia tua, Domine, adiuvabat me.* Ionas de ventre ceti clamavit ad Dominum et liberatus est. Ninivite ieiunaverunt, et Deus accepit penitentiam eorum. Vel per nautam intelligamus spiritum qui debet regere carnem, sicut vir uxorem, qui quandoque excitatur ad doctrinam sanctam ut fortius teneat disciplinam ad correptionem sensualitatis, et inde melius temperantur impugnationes carnis, et hoc est quod ait PONTIQUE MITESCUNT FRETA.

HOC IPSA PETRA ECCLESIE CANENTE CULPAM DILUIT. Petra ecclesie Christus est, super quem firmiter fundata est ecclesia, de qua apostolus: *Petra autem erat Christus.* Item Dominus: *Qui audit verba hec et facit ea* similabo eum *viro sapienti qui edificavit domum suam supra petram.* Hoc est fundamentum de quo apostolus ait: *Fundamentum aliud nemo potest ponere preter quod positum est Dominus Iesus Christus,* id est fides eius. Verbo Dei canente, doctore clamante, hec petra culpam diluit, quia inde peccator compungitur, conteritur, veniam petit, confitetur, et Deus peccata dimittit.

SURGAMUS ERGO STRENUE, quasi ut Deus dimittat peccata nostra surgamus strenue. *Strenuus* dicitur a *sternendo,* qui videlicet sternit diabolum et ad nichilum redigit pravas suggestiones eius. Surgamus ergo a lecto videlicet prave conscientie, non ulterius prosternamur ad terram, id est ad terrena opera, set erigamur ad spiritualia. Secundum quod dicit Dominus prophete: Fili hominis, *sta* supra *pedes tuos.* Iacenti dicit Dominus ut surgat, stanti ut in melius proficiat.

GALLUS IACENTES EXCITAT ut surgant. Paraliticus iacebat in lecto; Dominus dixit ei: *Surge, tolle grabatum tuum et ambula,* quasi dicat peccatori: Surge per contricionem, tolle grabatum tuum per confessionem, ambula per satisfactionem. Nisi Dominus excitet peccatorem, nequaquam surget. Excitavit David per Nathan prophetam, et surrexit. Excitavit Petrum respectu misericordie sue, et surrexit. Cadere potest homo /149v/ per se, set resurgere non potest per se. Unde propheta: *Et recordatus est* Dominus *quia caro sunt*

6 Cf. Mt. 8. 23-27; Mc. 4.36-40; Lc. 8.22-26   9 Ps. 88.10   9-10 Ps. 93.18   10-13 Ion. 2.2-3.5   20 1 Cor. 10.4   20-21 Mt. 7.24   23-24 1 Cor. 3.11   24-26 Cf. Petr. Lomb. *Sent.* 4.17.1, 4.18.4   28 Pap. *Glossar.* s.v.   32-34 Act. 26.16; cf. Act. 7.55   32-34 Cf. 1 Par. 22.13; Mt. 9.6   35-36 Mc. 2.9; cf. Mt. 9.6   39-40 Cf. 2 Sm. 12.13   40-41 Cf. Mt. 14.27-31   42 Ps. 77.39

spiritus vadens et non rediens, quasi spiritus vadens per se, set non rediens per se. Item propheta: *Virgo Israel cecidit, numquid adiciet ut resurgat* per se scilicet? Quasi non. Prima gratia opus Dei tantum est, unde dicitur *gratia,* id est *gratis data.*

5   ET SOMNOLENTOS INCREPAT. Apostolus dicit in epistola ad Timotheum: *Predica verbum; insta importune, oportune. Argue, increpa, obsecra in omni pacientia et doctrina.* Et in eadem: *Omnis scriptura divinitus inspirata utilis est ad docendum, arguendum, corrigendum, et erudiendum.* Doctor itaque pro tempore et qualitate

10   delicti debet obsecrare, increpare, et arguere.

GALLUS NEGANTEM ARGUIT. GALLUS, id est predicator et sermo divinus qui arguit negantem scilicet surgere. Nota quod quidam negant surgere, aut quia nolunt ex induratione, ut pharao qui dixit: *Nescio Dominum* nec *dimittam* populum. Quidam ex

15   ignorantia sive ex errore. Unde Petrus in actibus apostolorum dixit: *Scio, fratres, quia per ignorantiam fecistis.* Et quidam conpuncti egerunt ad verbum Petri penitentiam et crediderunt in Christum. Quidam ex negligentia; huic dicit Salomon: *Usquequo, piger, dormis? Quando* de *somno consurges?* Et apostolus: *Surge qui dormis, exurge*

20   *a mortuis, et illuminabit* tibi *Christus.* Item Dominus ait in evangelio: *Quid hic statis tota die ociosi?* Et illi: *Quia nemo nos conduxit.* Et Dominus: *Ite in vineam meam.* De negligente dicit Ieremias: *Maledictus qui opus Domini facit* negligenter. Opus Dei negligenter facit qui, quando psallit, linguam habet in Deo et cor in mundo aut

25   in diabolo. Iste non exaudit verbum prophete dicentis: *Psallite sapienter.* Sapienter psallit qui de eo quod dicit ore saporem sentit in corde ut sit sapor non in palato oris set in palato cordis. Item Dominus in apocalipsi: *Utinam frigidus esses aut calidus; set quia tepidus es, evomam te ex ore meo.*

30   Aliter: GALLUS NEGANTEM ARGUIT, negantem videlicet Deum. Negatur Deus a quibusdam corde, ore, opere, sicut ab hereticis et aliis infidelibus. Qui enim negat Filium negat Patrem, quia qui non honorificat Filium non honorificat Patrem qui misit illum. Sicut Filius dicit, negatur Deus a quibusdam opere qui confitentur ore.

35   Unde apostolus: *Confitentur se nosse Deum, factis autem negant.* Qui iniuste iudicat iusticiam negat. Deus autem iusticia est, et in hoc negat Deum. Qui crudelis est pietatem negat. Deus autem pietas est. Qui sine affectione et compassione est misericordiam negat. Deus autem misericordia nostra est. Qui deficit in adversis fortitudinem

40   negat. Deus /150r/ autem fortitudo nostra est. Set quocumque modo negetur Deus, si peccator vere convertatur ad Deum et corde devoto

---

1 Ps. 77.39   2-3 Am. 5.1-2; Ps. 40.9   4 Pap. *Glossar.* s.v.; cf. Petr. Lomb. *Sent.* 2.27.3   6-7 2 Tim. 4.2   7-9 2 Tim. 3.16   9-10 Cf. Petr. Lomb. *Sent.* 4.16.6, 4.17.5   14 Ex. 5.2   16 Act. 3.17   18-19 Prv. 6.9   19-20 Eph. 5.14   21-22 Mt. 20.6   23 Ier. 48.10   25-26 Ps. 46.8   28-29 Apc. 3.15-16   32-33 Petr. Lomb. *Sent.* 1.15.5-7   35 Tit. 1.16

---

41 convertatur: covertatur, *cod.*

querat, Deum inveniet. Unde Dominus per Iheremiam: *Queretis me et invenietis, cum quesieritis me toto corde.* Alibi legitur: *Querent me et non invenient.* Quare? Quia non querent sicut debent querere.

GALLUS NEGANTEM ARGUIT; GALLO CANENTE SPES REDIT. Quia ad doctrinam predicatoris et perceptionem verbi Dei, spes redit ad auditorem qui eam amiserat. Duobus discipulis euntibus in Emaus apparuit Dominus et interpretabatur eis scripturas que de ipso loquebantur. Cum autem disparuisset et cognovissent eum in fractione panis, dicebant: *Nonne cor nostrum ardens erat in nobis dum loqueretur* nobis *in via et* interpretaretur *nobis scripturas?* Ecce vox Domini et expositio scripturarum revocavit eos ad spem quam amiserant. Unde et ipsi dixerunt: *Nos sperabamus quod ipse esset redempturus Israel.* Quasi ante passionem sperabamus, modo non speramus. Quod contigit in illis quandoque contingit in aliis.

EGRIS SALUS REFUNDITUR, egris scilicet mente, id est peccatoribus, set penitentibus, salus anime refunditur. Ad verbum Nathan prophete David penitentiam egit et ad salutem anime rediit.

MUCRO LATRONIS CONDITUR, id est acuta suggestio diaboli quasi in vaginam reponitur. Cum enim videt doctrinam predicatoris prevalere, quasi confusus de victoria Christi suspendit ad tempus usum gladii sui, donec videat sibi tempus oportunum.

LAPSIS FIDES REVERTITUR. Lapsis scilicet in peccatum fides operans per dilectionem revertitur.

IESU, PAVENTES RESPICE. Quinque sunt timores: naturalis, mundanus, servilis, initialis, filialis sive castus. Naturalis non dampnatur, qui etiam in Christo fuit. Unde et dixit: *Tristis est anima mea usque ad mortem.* Et item: *Pater, si* fieri potest, *transeat a me calix iste.* Hunc autem accepit propter nos ne desperet miles Christi, cum viderit carnem suam horrere penam passionis. Mundanus malus est. Hoc enim receditur a Deo metu pene corporis aut dampni temporalis. Servilis timor timet penam, set non amat iusticiam. Oderunt peccare mali formidine pene. Timor iste non est bonus, id est meritorius, set utilis est; quia, sicut seta introducit filum, ita servilis timor caritatem. Initialis timor timet penam et amat iusticiam et est in caritate inperfecta, sicut filialis timor sive castus in caritate perfecta qui timet separari. Quod autem dicitur PAVEN/150v/TES legi potest de servili timore quasi: respice oculis misericordie paventes timore servili ut te aspiciant; nisi enim prius respexeris, non te aspicient: *Sunt enim caro vadens et non rediens,* vadens per se set non rediens per se. Nisi respexisses Petrum, forte non curreret ad lacrimas. Respexisti; *egressus* est *foras et flevit amare.* Vel de initiali potest legi: qui est in caritate. Respectus enim misericordie Dei semper nobis necessarius est, cum nec etiam possimus perseverare in bono nisi eo iuvante.

1-2 Ier. 29.13   2-3 Apc. 9.6; cf. Prv. 1.28; Os. 5.6   6-8 Cf. Mc. 16.12-13; Lc. 24.13-35   9-10 Lc. 24.32   12-13 Lc. 24.21   16-17 Cf. 2 Sm. 12.13   24-43 Cf. Petr. Lomb. *Sent.* 3.34.4-9; Abael. *Sic et Non* 78; Hugo S. Vict. *Sum. Sent.* 3.17   26-27 Mt. 26.38   27-28 Mt. 26.39   38-39 Ps. 77.39   40-41 Mt. 26.75; Lc. 22.62   41-42 Cf. 1 Io. 4.18

Unde propheta: *Nisi Dominus custodierit civitatem* et cetera. Item:
Auxilium meum a Domino. Ipse quoque ait: *Sine me nichil potestis*
facere.

ET NOS VIDENDO CORRIGE, quasi hic vide ut corrigas; hic
seca, hic ure non in furore tuo, id est in die iuditii, ubi faciet quod
homines irati facere solent, id est irrogare penam pro culpa. Ieremias
quoque ait: *Corripe me, Domine, verumptamen in iuditio, non in*
furore, ne ad nichilum redigas me. Percute filium tuum virga ut liberes
eum a morte. Pater flagellat filium quem recipit; flagellasti Mariam,
sororem Moysi, et correpta est.

FLETUQUE CULPA SOLVITUR, id est deletur. Lacrimas Petri
legi, satisfactionem aliam scilicet non legi. Lacrime lavant delictum
quod pudor est confiteri, id est cum pudore confitemur. Flevit
Ezechias conversus ad parietem, et additi sunt vite eius quindecim
anni. Flevit Anna pro fecunditate habenda, et impletum est desiderium
suum. Flevit filia Raguelis et liberata est a demonio. Magna potentia
lacrimarum que etiam ipsum Dominum moverunt ad lacrimas. Videns
enim sorores *flentes lacrimatus est.*

TU, LUX, REFULGE SENSIBUS, ut videlicet sensus interiores
illumines, id est intellectus nostros, ad tui cognitionem et dilectionem.

MENTISQUE SOMPNUM DISCUTE. De hoc somno dicit
apostolus: *Hora est iam nos de somno surgere.* Item: *Qui dormiunt*
nocte dormiunt. Est somnus bonus de quo sponsa dicit in canticis:
Ego dormio et cor meum vigilat.

TE NOSTRA VOX PRIMUM SONET. In evangelio Dominus
ait: *Primum querite regnum Dei,* id est precipue, quia spiritualia
petenda sunt pure, temporalia sub pendulo pie conditionis, id est si
Dominus voluerit. Unde subditur: *Et hec omnia adicientur vobis.* Non
dicit *petentur,* set *adicientur* vobis. SONET, id est laudet.

ET ORA SOLVAMUS TIBI, id est aperiamus ad laudem tuam
non solum ora exteriora set interiora. Unde in psalmo: *Os iusti*
meditabitur sapientiam, ut videlicet Deus laudetur corde et ore.

3. SPLENDOR PATERNE GLORIE. Ad Filium sermo dirigitur
in primis. Dicatur ergo O SPLENDOR PATERNE GLORIE, id est
gloriosi Patris. Filius dicitur splendor /151r/ Patris, quia sicut
splendor manifestat solem, ita per Filium Pater manifestatus est
mundo. Vel sicut ex sole nascitur splendor, ita Deus Pater genuit
Filium. Vel quia Filius in adventu suo illuminavit mundum lumine
spirituali, sicut splendor solis illuminat lumine temporali. De hoc
splendore dicit Paulus in epistola ad Hebreos: *Qui cum sit splendor*
glorie, id est Patris, quem predixerat, *et figura substantie eius.* Splendor

---

quoque solis semper de ipso oritur, et Filius semper de Patre nascitur.
DE LUCE LUCEM PROFERENS, de se scilicet luce proferens
lucem fidei et cognitionis Dei in apostolis et aliis iustis. Vel DE LUCE,
id est doctrina et verbo suo, que lux est. De qua in psalmo: *Lucerna
pedibus meis verbum tuum* et cetera. Quod sequitur non mutatur.   5
    LUX LUCIS ET FONS LUMINIS. LUX LUCIS, id est verbum
Patris, ET FONS LUMINIS. Sicut enim fons ministrat aquam rivulis,
ita Christus aquam spiritualis gratie et lumen fidei dispensat fidelibus
suis. Alibi legitur quod ipse est fons aque vive, ut in psalmo: *Sitivit anima
mea ad Deum fontem vivum.* Et Dominus in Iheremia: *Dereliquerunt*   10
me, fontem aque vive. In temporalibus aqua extinguit ignem et lumen;
secus est in spiritualibus.
    DIES DIERUM ILLUMINANS. Dies dicuntur iusti, ut in
psalmo: *Dies formabuntur et nemo in eis,* id est nemo denominabitur
ab eis. Non enim a Petro dicuntur Petrini, nec a Paulo dicuntur   15
Paulini, sicut a Christo dicuntur Christiani. Item in psalmo: *Dies diei*
eructat verbum, id est Christus discipulis suis manifestat Christum
incarnatum. Item sicut sanctus sanctorum dicitur qui preminet aliis
sanctis et qui sanctificat alios sanctos, et sicut mons montium dicitur
qui preminet aliis montibus, ita dies dierum qui preminent aliis diebus. 20
Hii sunt apostoli quorum doctrina et sanguine fundata est ecclesia.
    VERUSQUE SOL, ILLABERE. Sol Christus est, de quo in
propheta: *Vobis* autem *timentibus* Deum *orietur sol iusticie.* Et in
libro sapientie ex voce reproborum: Nos *erravimus a via veritatis, et*
sol iusticie non illuxit nobis. Set quia nomen solis multis modis   25
accipitur, dicitur enim sapiens sol, ut in ecclesiastico: *Sapiens per**manet*
ut sol, id est in claritate sapientie perseverat. Sol predicator, ut in
Iob: *Qui precipit soli et non oritur,* quia iusto Dei iuditio omnis
predicator a Iudea recessit. Sol ecclesia, ut in cantico: *Electa ut sol.*
Et aliis etiam modis. Ideo dicitur verus sol, quia nunquam passus   30
est eclipsim, neque enim peccavit nec peccare potuit. Quod enim
legitur: *Qui potuit transgredi et non est transgressus,* sic intelligendum:
Qui potuit transgredi in membris et non est transgressus in se. Omnes
etiam iusti illuminantur ab eo. Unde in evangelio: *Erat lux vera que*
illuminat omnem hominem venientem in hunc mundum. Quod /151v/   35
ipse sit lux ipse testatur in evangelio: *Ego sum lux mundi.* Ipse quoque
dicit apostolis: *Vos estis lux mundi.* Verusque sol, illabere cordibus
nostris per inhabitantem gratiam, aut si eam habemus, per pleniorem:
Quia *habenti dabitur et habundabit.*

1 nascitur *marg. gl.* β In libro sapientie secundum translationem Origenis *sapientia*   40
dicitur *splendor lucis eterne,* sed idem est quia Pater lux eterna est ex quo splendor,
id est Filius.

4-5 Ps. 118.105   7 Cf. Nm. 20.6   9 Cf. Io. 4.14   9-10 Ps. 41.3   10 Ier. 2.13   14 Ps.
138.16   16 Ps. 18.3   23 Mal. 4.2   24-25 Sap. 5.6   26-27 Sir. 27.12   28 Iob. 9.7   28-29
Raban. M. *Alleg.* s.v.   29 Ct. 6.9   32 Sir. 31.10   34-35 Io. 1.9   36-37 Io. 8.12; Mt. 5.14
39 Mt. 25.29; Lc. 19.26   40-42 Cf. Orig. *De Prin.* 1.2.5

MICANS NITORE PERPETI planum est, quia splendor eius eternus est.

IUBARQUE SANCTI SPIRITUS, id est caritatem Sancti Spiritus, INFUNDE NOSTRIS SENSIBUS interioribus scilicet.

5 IUBAR dicitur, quasi *iuvar* a *iuvando,* quia lux exterior iuvat oculos ut exequantur officium videndi. Non enim vident in tenebris.

VOTIS VOCEMUS ET PATREM, id est precibus et desideriis, vel secundum acceptionem in qua describitur: *Votum est quedam testificatio promissionis spontanea que* est de *Deo* vel *de his que ad*

10 Deum pertinent.

PATREM PERHENNIS GLORIE, id est qui est perhennis glorie, vel Patrem Filii qui est gloria Patris. Filius enim sapiens gloria est Patris.

PATREM POTENTIS GRATIE, id est datorem potentis gratie

15 fidelibus suis. Gratia fidelium potens est que expellit demones, curat infirmitates, illuminat cecos, resuscitat mortuos, quod totum procedit ex potentia Patris.

CULPAM RELEGET LUBRICAM. Relegare est hominem de patria sua in exilium mittere. Peccator quasi patria culpe est, que quasi

20 relegatur, cum inde emittitur. LUBRICAM ab effectu que lubricos facit. Lubricum proprie dicitur luxuria. Unde in psalmo: *Fiat via eorum tenebre et lubricum,* id est ignorantia et luxuria.

INFORMET ACTUS STRENUOS, id est informet actus nostros ut sint strenui, id est boni, id est meritorii vite eterne. Informet scilicet

25 caritate, sine qua non est meritum vite. Unde: Penes caritatem est omne meritum. Et apostolus: *Si linguis hominum loquar et angelorum, caritatem autem non habeam, nichil michi prodest.* Sine hac virtus non habetur. Humilitas enim sine caritate qualitas est set virtus non est. Unde Augustinus ita describit virtutem: *Virtus est bona qualitas*

30 *mentis qua recte vivitur et qua* nemo *male utitur.* Habe caritatem, dicit auctoritas, et fac quicquid vis scilicet cum caritate.

MENTEM RETUNDAT INVIDI, id est detractionem. Acuta est detractio vel diaboli vel hominis, quando ita ad effectum ducitur ut discordiam seminet inter fratres. Obtusa est et hebes quando effectu

35 caret. Unde dicit RETUNDAT. Invidus dicitur diabolus, quia eius invidia mors intravit in mundum, et ipse invidet saluti hominis, qui per bona merita meretur celum quod ipse peccando demeruit. Membra etiam eius infecta sunt veneno invidie, unde procedit detractio eorum ut tollant caritatem, quam non habent, seminando discordiam.

40 CASUS SECUNDET ASPEROS, id est asperitatem adversitatis convertat in mansuetudinem prosperitatis, ita tamen quod non

---

6 tenebris *marg. gl.* γ[i] *Splendor solis* et *lune et stellarum iubar vocatur,* quia *in modum iube radii ipsorum extendantur.* Secundum Ysidorum.

---

5 Pap. *Glossar.* s.v. 8-9 Petr. Lomb. *Sent.* 4.38.1 15-16 Cf. Petr. Lomb. *Sent.* 2.27.4-5 21 Ps. 34.6 26-27 1 Cor. 13.1-3 29-30 Petr. Lomb. *Sent.* 2.27.1 30-31 Cf. Gal. 5.13-17; Col. 3.14 35-36 Cf. Sap. 2.24 35-37 Cf. Petr. Lomb. *Sent.* 2.21.1 42-43 Isid. *Orig.* 3.71.18

dissolvat. Unde et ecclesia /152r/ pro pace, set potius pro interiori quam exteriori.

DONET GERENDI GRATIAM, id est bene operandi.

MENTEM GUBERNET ET REGAT. Pro eodem accipe illa duo verba, vel distingue: GUBERNET dixit propter opera, REGAT ad   5
perseverantiam. Vel GUBERNET exteriorem hominem et REGAT interiorem.

CASTO, FIDELI CORPORE. Caro quasi uxor est spiritus, que videlicet fidem servat viro, quando sensualitas non movetur ad illicitum motum cum diabolo tanquam cum adultero. Tria sunt bona   10
coniugii: *fides, proles et sacramentum.* Fides ne cum altero vel altera coeatur, et ideo dicit CASTO, FIDELI CORPORE. Habet enim coniugium castitatem suam, id est continentiam coniugalem, qualem legitur habuisse Ysaac.

FIDES CALORE FERVEAT, id est igne caritatis quod fit   15
quando ferventer operatur per dilectionem.

FRAUDIS VENENA NESCIAT, id est corruptionem heretice pravitatis, que semper in dolo est ut seducat catholicos.

CHRISTUSQUE NOBIS SIT CIBUS. Qui corpus Christi sumit digne et rem et sacramentum sumit. Qui autem indigne, sacramentum   20
sumit set non rem sacramenti. Quidam autem sumunt tantum re, qui sunt in unitate ecclesie ex contemptu tamen sumere sacramentum non obmittunt set ex aliqua necessitate. Et nota quia quando corpus Christi sumitur Christus sumitur, quia sine ipso non est corpus eius.

Set quia sine fide digne non sumitur, subdit POTUSQUE   25
NOSTER SIT FIDES. Advena, id est gentilis, non edebat de agno typico; multo fortius infidelis non debet comedere de agno vero, nec etiam fidelis qui est sine caritate, et ideo quod hic dicitur intelligendum est de fidei virtute. In cibo et potu est plena refectio corporis, et in hoc cibo spirituali et potu vere fidei est plena refectio mentis.   30

LETI BIBAMUS SOBRIAM EBRIETATEM SPIRITUS, id est gratie spiritualis. Sobria est hec ebrietas que sic inebriat ut sobrios reddat. Non est hec ebrietas calicis aurei Babilonis, qui sic inebriat ut fatuos reddat. Unde in Iheremia: *Calix aureus Babilonis inebrians universam terram.* Et in apocalipsi: *Veni, et ostendam tibi meretricem*   35
magnam cum qua fornicati sunt reges terre, et inebriati sunt de vino prostitutionis eius qui inhabitant terram. LETI dicit, set hec leticia debet esse in Deo. Ad quam monet nos apostolus dicens: *Gaudete in Domino semper.* Item in epistola ad Romanos: *Non est regnum Dei esca et potus set iusticia et pax et gaudium in Spiritu Sancto.*   40

LETUS DIES HIC TRANSEAT, id est ita consummetur quod leti simus in eo, leti scilicet in Domino, quod continget si bona maneat

---

11 Petr. Lomb. *Sent.* 4.31.1; cf. Aug. *Gen. ad litt.* 9.7.12; Hugo S. Vict. *Sacram.* 2.11.7
14 Cf. Gn. 26.7   19-30 Cf. Petr. Lomb. *Sent.* 4.8.7, 4.9.1, 4.9.3   34 Ier. 51.7   35-37
Apc. 17.1-2   38-39 Phil. 4.4   39-40 Rm. 14.17

---

3 operandi: opeandi, *cod.*

conscientia. Apostolus dicit: *Gloria nostra hec est testimonium conscientie nostre.*

PUDOR SIT UT DILUCULUM. Diluculum est principium diei. Dies est bona conversatio illuminata a vero sole, cuius diluculum est
5 initium /152v/ bone conversationis. Que habetur per veram contricionem, plenam confessionem, que semper debet habere pudorem et dignam satisfactionem. Set quoniam perfecta confessio numquam est sine pudore ut videlicet penitus erubescat et confundatur de offensis suis, ideo dicit PUDOR SIT UT DILUCULUM. Hec est
10 confusio adducens gloriam. Est alia confusio que adducit peccatum, sicut dicit scriptura. Item in psalmo: *Imple facies eorum ignominia, et querent nomen tuum, Domine.* Hoc intelligitur de bona confusione. In sequenti versu agitur de mala: *Erubescant et confundantur et pereant.* Item propheta: Ingredieris in *Babilonem* et *ibi liberaberis.*
15 Ingreditur in Babilonem qui ex enormitate peccati multum confunditur et ex hac confusione quandoque liberatur. Unde consulte agit peccator, si confiteatur tali sacerdoti coram quo vehementer erubescat ita tamen quod non contempnatur proprius sacerdos. Credimus enim talem confusionem esse partem penitentie. Item lacrime lavant delictum
20 quod pudor est confiteri, id est quod cum pudore confitemur.

FIDES VELUT MERIDIES. In meridie fervens est calor solis, et hic petitur ut fides ferveat igne caritatis.

CREPUSCULUM MENS NESCIAT scilicet occasum fidei.

AURORA CURSUS PROVEAT. Aurora dicitur ecclesia. Unde
25 in cantico amoris: *Que est ista que progreditur* sicut *aurora consurgens.* Dicatur ergo AURORA CURSUS PROVEAT, id est cursus suos in melius promoveat. Currere est bene operari. Unde apostolus: *Non est volentis neque currentis, set miserentis* est *Dei.* Item: *Sic currite ut comprehendatis.* In via enim sunt cursores, in patria erunt com-
30 prehensores. Unde ipse dicit: *Nondum arbitror me comprehendisse.*

AURORA TOTUS PRODEAT. Credo quod versus iste appositus fuit propter hereticos, qui in tempore beati Ambrosii multum infestabant catholicos. Ecclesia autem laborabat ad conversionem eorum et defensionem fidei catholice. Dicatur ergo AURORA ablativi casus,
35 id est per laborem et orationem ecclesie Filius prodeat totus hereticis scilicet et aliis infidelibus. Quod prodit de occulto exit ad puplicum, de abscondito ad manifestum. Hereticis autem et infidelibus absconditus est Christus, cuius utramque naturam aut ignorant aut maliciose diffitentur. Set hec ignorantia non excusat eos, quia fides nostra iam
40 puplicata est per universum mundum. Petit ergo fidelis ut Filius PRODEAT, id est innotescat inimicis fidei nostre, TOTUS, id est secundum utramque naturam, ut in eum credant Deum et hominem.

1-2 2 Cor. 1.12   10 Cf. Mc. 8.38   10-11 Cf. Isid. *Orig.* 10.61; Petr. Lomb. *Sent.* 4.20.1   11-12 Ps. 82.17   13-14 Ps. 82.18   14 Mi. 4.10   17-19 Cf. Petr. Lomb. *Sent.* 4.17.3   25 Ct. 6.9   27-28 Rm. 9.16   28-29 1 Cor. 9.24   30 Phil. 3.13   32 Cf. Aug. *C. Maximin.* 2.14.3; Petr. Lomb. *Sent.* 1.34.5   41-42 Cf. Petr. Lomb. *Sent.* 1.31.3, 3.7.2, 3.22.3

'ilius, dico, qui totus est in Patre et Pater totus est in Filio. Singule nim persone sunt in singulis, et tota trinitas in singulis.

Aliter: Quanto desiderio desiderabant patres veteris testamenti rimum adventum, tanto iusti in novo testamento desiderant secundum. Quia tunc *absorta* erit *mors in victoria,* et iam non erit amplius *neque* 5 *luctus neque* /153r/ *clamor neque dolor.* Et longe maior erit gloria nimarum resumptis corporibus. Per auroram ergo significatur dies esurrectionis generalis, quia ipsa erit initium diei eterne.

Dicatur ergo AURORA CURSUS suos PROVEAT, id est dies uditii non tardet set cito veniat ut quod promissum est electis sine 10 nora longissima consequantur. Et in aurora illa Filius prodeat, id st appareat electis suis, totus, id est secundum utramque naturam, it scilicet videant divinam et humanam glorificatam. Secundum Gregorium: Reprobi *non videbunt* carnem Christi glorificatam. Unde: *Tollatur impius ne videat gloriam Dei.* Set *videbunt in quem* 15 *pupugerunt.* Sequentia non mutantur. *Augustinus* tamen *dicit* quod umanitas *glorificata vide*bitur *a bonis et malis,* set *divinitas* nequa-quam a malis quia *non potest videri sine gaudio.* Aliter secundum quosdam qui per auroram intelligunt verbum incarnatum; quia sicut urora indicat diem, ita Christus manifestavit Patrem suum mundo. 20 Unde ipse dixit: Pater, *manifestavi nomen tuum* et cetera.

Dicatur ergo AURORA, id est Christus, PROVEAT CURSUS nostros, quia currere non possumus sine ipso. Unde in parabolis: *In omnibus viis tuis cogita* Deum, *et ipse diriget gressus tuos.* Et Filius qui totus est aurora, id est totus splendens, quia in se nichil habet 25 obscurum. Hic est Christus, qui nec peccavit nec peccare potuit. Prodeat, id est innotescat nobis, et in presenti et in futuro ut numquam avertat faciem suam a nobis et semper dicamus: *Domine Deus virtutum, converte nos et ostende faciem tuam, et salvi erimus.* Aliter secundum alios: Tempore beati Ambrosii pullulabant hereses, 30 et invalescebant heretici contra catholicos. Unde catholici doctores de nocte desiderabant diem ut contra inimicos fidei disputarent et veritatem eius probarent et defenderent.

---

11 consequantur *marg. gl. β* In Iob legitur: *Expectet lucem et non videat nec ortum surgentis aurore, quia non clausit ostia ventris qui portavit me.* Ortus aurore 35 est nova nativitas resurrectionis qua sancti cum carne orientur ad videndum lumen eternum, quod non videbunt reprobi. In iudicio erit aurora, in regno dies.

22 et cetera *marg. gl. γ* Ante incarnationem Domini fuit nox. Unde apostolus: *Nox precessit* et cetera. In patria erit dies. Medio tempore, id est in via, est aurora, id est future diei exordium. Aurora modicum lumen prestat et in via parva est cognitio 40 Dei, respectu illius que erit in patria. Unde apostolus: *Ex parte cognoscimus.* Christus itaque quasi aurora est nobis in via, sed in patria erit nobis dies, quando dabit manifestam cognitionem et perfectam sancte trinitatis.

1-2 Cf. Petr. Lomb. *Sent.* 1.13.3, 3.7.2, 3.22.3   1-2 Cf. Aug. *Enchir.* 38, *Trin.* 7.6.11; Petr. Lomb. *Sent.* 1.19.9, 3.4.1   3-4 Cf. Greg. M. *Moral.* 9.27; Petr. Lomb. *Sent.* 3.25.1-2   5 1 Cor. 15.54   6 Apc. 21.4   12-13 Cf. Petr. Lomb. *In Psalm.* 74.2   14-18 Petr. Lomb. *Sent.* 4.48.1-2; cf. Is. 26.10; Za. 12.10; Apc. 1.7; Aug. *In Psalm.* 85.21, *In Evang. Ioh.* 19.5, 21.13, 22.5, *Trin.* 1.13; Greg. M. *Moral.* 27.5, *In Evang.* 1.20.7; Isid. *Sent.* 1.27.8   21 Io. 17.6   23-24 Prv. 3.6   28-29 Ps. 79.20   30-33 Cf. Ambr. *Incarn.* 8.79   34-35 Iob 3.9-10   39 Rm. 13.12   41 1 Cor. 13.9

Dicatur ergo AURORA materialis CURSUS suos PROVEHA[T]
et cito dies veniat et illucescat ut aurora apparente et die clarescen[te]
per disputationem et predicationem ecclesie Filius ignotescat tot[?]
inimicis suis ut credant eum Deum esse et hominem ad fidem convers[?]
5 aut saltem perseveranter ignotescat fidelibus suis ut a fide non moveant[ur]
per fraudulentam maliciam eorum. Cetera non mutantur.

4. IAM LUCIS ORTO SIDERE, DEUM PRECEMUR SU[P]
PLICES, sidere lucis, id est sole qui illuminat diem temporalem, v[el]
allegorice sidus lucis vocat Christum, qui est lux illuminans omne[m]
10 hominem venientem in hunc mundum, qui oritur homini de peccat[o]
converso et penitenti dat gratiam spiritualem et iustificat aut iust[o]
dat gratiam pleniorem. Quidam precantur et non supplices, ideo dic[it]
PRECEMUR SUPPLICES.
UT IN DIURNIS ACTIBUS NOS SERVET A NOCENTIBU[S]
15 id est a demonibus, quasi dicat: Servet nos a demonibus ut in d[iebus]
non impellant nos ad actus malos aut non corrumpant actus bono[s].
Large quoque intellige NOCENTIBUS, id est hostibus visibilibus [et]
invisibilibus.
LIN/153v/GUAM REFRENANS TEMPERET et participiu[m]
20 et verbum transitivum est, et ideo cum utroque construatur ill[e]
accusativus.
NE LITIS HORROR INSONET, id est ne lis horrida insone[t]
id est in ore sonet aut nec etiam in corde.
VISUM FOVENDO CONTEGAT NE VANITATES HAURIA[T]
25 Fovere quandoque in bono accipitur, quandoque in malo. In bono, sic[ut]
hic. In malo, sicut in Ieremia: *Perdix,* id est diabolus, *fovit que non peper[it]*
et cetera. Heretici quoque fovent discipulos suos in errore, et Christu[s]
suos in veritate. CONTEGAT, contegat visum manu sue gratie ut visu[s]
tectus sit ad concupiscendum set detectus ad bonum desiderandum. E[t]
30 ideo dicit FOVENDO, quasi foveat ad bona videnda et eligenda. Ev[a]
vidit pomum et concupivit; si non vidisset, non concupisset. Dina egress[a]
est de domo patris sui ut videret mulieres regionis illius. Visa est, cupit[a]
et corrupta est. David vidit Beersabee et male desideravit eam. Phara[o]
et exercitus eius persequebantur filios Israel, qui arcati sunt inter ma[re]
35 rubrum et montes immeabiles; Dominus posuit inter eos nubem, qu[e]
obscura erat Egyptiis et lucida Hebreis. Utinam ponat ante oculos nostr[os]
nubem gratie sue, id est refrigerium, quod lucidum sit ad exhauriend[a]
bona et obscurum ad desideranda mala. Quod dicit de visu intellige d[e]
aliis sensibus.
40 SINT PURA CORDIS INTIMA, id est cor quod intimum es[t]
per endiadim, id est cor quod pertinet ad interiorem hominem, quas[i]
interior homo sit purus, id est sine corruptione peccati.

3-6 Cf. Ambr. *Incarn.* 5.35; Petr. Lomb. *Sent.* 3.1.1, 3.7.2, 3.22.3   25-26 Ie[r.]
17.11   30 Cf. Gn. 3.6   32-33 Cf. Gn. 34.1-2   33-34 Cf. 2 Sm. 11.2   34-36 Cf. E[x.]
14.8-20

---

12 precantur: precatur, *cod.*

ABSISTAT ET VECORDIA. Vecors est et insanus qui odit proximum suum, multo fortius qui odit se, set odit se qui diligit iniquitatem. Unde psalmista: *Qui diligit iniquitatem odit animam suam.* Vesania est occidere se; occidit se qui mortaliter peccat, quia mors dicitur mortale peccatum. Est autem mors triplex: mors anime, mors corporis, mors utriusque. Mors prima est quando in hac vita per mortale peccatum anima separatur a Deo. Secunda est quando anima separatur a corpore. Tercia est in iehenna, in pena, scilicet corporis et anime.

CARNIS TERAT SUPERBIAM POTUS CIBIQUE PARCITAS. *Sine Cerere et Baco friget Venus.* Ideo instituta sunt ieiunia ut castigetur corpus ne inpinguatum superbiat, et Agar intumescat contra Saram.

UT CUM DIES ABCESSERIT NOCTEMQUE SORS REDUXERIT, id est solis occasus. Sicut enim solis ortus adducit diem, ita solis occasus reducit noctem. Vel sors secundum aliam litteram, id est naturalis cursus temporis.

MUNDI PER ABSTINENTIAM, id est mundati vel in munditia conservati.

IPSI CANAMUS GLORIAM, gratias agendo de gratia conservata.

5. NUNC SANCTE NOBIS SPIRITUS, UNUS PATRIS CUM FILIO. Sic legatur littera, id est in hac hora tercia, in qua descendisti in apostolos, Sancte Spiritus, DIGNARE nobis INGERI, id est infundi, PROMPTUS, id est /154r/ sine mora. Vel PROMPTUS, id est apertus quod nobis constare poterit ex fide et operibus bonis. Tu, dico, UNUS SPIRITUS PATRIS CUM FILIO, id est unus Spiritus Patris et Filii tamquam procedens ab utroque. Alia littera habet UNUM, id est una essentia. Illa etiam habet PATRI, et plana est. Est tercia secundum quosdam: UNUS PATRI CUM FILIO, et dicunt quod illud dictum est contra Arrium, qui gradus faciebat in trinitate dicens Patrem esse maiorem Filio, Filium maiorem Spiritu Sancto.

NOSTRO REFUSUS PECTORI. Fidelis qui hic loquitur non est contentus una fusione. Iteratam fusionem desiderat ut dicatur NOSTRO REFUSUS PECTORI, id est iterum fusus nostro cordi. Scis enim quia habenti datur ut plus habundet.

OS, LINGUA, MENS, SENSUS, VIGOR CONFESSIONEM PERSONENT. OS cordis de quo in psalmo: *Os iusti meditabitur sapientiam,* id est intellectus. LINGUA carnis. MENS, id est superior pars rationis que pertinet ad sapientiam. SENSUS interior. VIGOR, id est fortitudo hominis que robustum facit hominem in prosperis et adversis. CONFESSIONEM peccatorum et laudis PERSONENT,

---

3-4 Ps. 10.6   4-5 Cf. Petr. Lomb. *Sent.* 4.16.1   9 Cf. Greg. M. *Dial.* 4.39; Petr. Lomb. *Sent.* 4.21.6   11 Ter. *Eun.* 4.5.6   12 Cf. Gn. 21.14-15   23-24 Cf. Act. 2.15   26-27 Cf. Ambr. *Spir.* 2.5.42; Petr. Lomb. *Sent.* 1.11.1   30-32 Cf. Petr. Lomb. *Sent.* 1.25.3   36 Cf. Mt. 25.29; Lc. 19.26   38-39 Ps. 36.30

id est perfecte sonent ut nichil omittatur de hiis que ad veram
confessionem pertinent. Vel sensus corporis ut totus homo peniteat
qui totus peccavit, id est interior et exterior.

FLAMASCAT IGNE CARITAS, id est ardeat igne Spiritus
5 Sancti.

ACCENDAT ARDOR PROXIMOS, id est amor noster. Accendat
ad dilectionem proximos nostros. Apostolus dicit: *Si esurierit inimicus
tuus, ciba illum; si sitit, potum da illi. Hoc enim faciens carbones
ignis congeres super capud eius,* quasi cum viderit affectum et
10 effectum dilectionis tue erga ipsum accendetur ut te diligat. Aliter:
ACCENDAT ARDOR PROXIMOS, id est ignis caritatis accendat
proximos; hoc ideo petit quia debet diligere proximum sicut se ipsum
et proximi caritatem desiderare sicut suam.

6. RECTOR POTENS, VERAX DEUS. VERAX in promissis
15 quia solvit quod promittit. POTENS RECTOR quia potenter regit
creata. Ex perpetuitate rerum creatarum evidenter apparet quod Deus
eternus est. Ex potenti administratione et regimine: quod omnipotens
est. Ex ordinata dispositione: quod sapiens est. Ex conservatione
rerum in suo esse: quod bonus est.

20 QUI TEMPERAS RERUM VICES; hoc exponit per litteram
sequentem.

SPLENDORE MANE INSTRUIS ET IGNIBUS MERIDIEM,
id est calore nimio. Hoc ideo forte ita disposuit, quia si mane
ferventissimum esset, humana corpora sustinere non possent in prima
25 parte diei, set paulatim crescente calore corpora se assuescunt ad
tolerandum fervorem.

ESTINGUE FLAMMAS LITIUM. Flammas dicit qui frequenter
ex ardore ire proveniunt lites.

AUFER CALOREM NOXIUM. Est calor ire, est calor luxurie
30 et cupiditatis. De qua in psalmo: *Incensa igni et suffossa ab incre-
patione vultus tui peribunt. Incensa* vocat peccata *que ex cupiditate*
procedunt. *Suffossa: que ex timore,* que perierunt Filio Dei apparente
in /154v/ carne, qui est vultus Patris per increpationem eius et suorum
predicatorum. Sunt et alii calores noxii quos omnes petit auferri.

35 CONFER SALUTEM CORPORUM. Eterna debemus querere
pure, temporalia sub pendulo pie conditionis, id est si Deus voluerit.

VERAMQUE PACEM CORDIUM. VERAM dicit, quia est pax
falsa. De qua Ieremias: *A sacerdote usque ad prophetam* omnes
*faciunt dolum, et dic*unt: *"Pax, Pax" et non est pax.* Quasi est pax
40 interior et exterior, et tamen non est vera pax. Et Dominus in evangelio:
Non veni pacem mittere in terram *set gladium* scilicet falsam. Vel
per iterationem nominis notat confirmationem pacis. Est pax inter
adulteros et inter alios eodem facinore ligatos, set non est vera pax.

7-9 Rm. 12.20; cf. Prv. 25.21   14-15 Cf. Aug. *Trin.* 5.16.17; Petr. Lomb. *Sent.*
1.30.1   30-31 Ps. 79.17   31-32 Petr. Lomb. *Sent.* 2.42.4   38-39 Ier. 6.13   41 Mt. 10.34;
cf. Lc. 12.51

7. RERUM DEUS TENAX VIGOR, id est virtuose tenens, continens, et regens res creatas.

IMMOTUS IN TE PERMANENS. Unde Boetius: *Stabilisque manens das cuncta moveri.* In libro sapientie tamen legitur quod *mobilior est* omnium *sapientia.* Set hoc ideo dicitur quia, cum sit inmobilis in se, facit cuncta moveri.   5

LUCIS DIURNE TEMPORA SUCCESSIBUS DETERMINANS. Quia cum sint plures hore diei, sibi invicem succedunt.

LARGIRE CLARUM VESPERE, id est bonum finem clarum luce gratie spiritualis.   10

QUOD VITA NUSQUAM DECIDAT. Ut vitam temporalem sequatur eterna que numquam decidet.

Unde subdit SET PRIMUM MORTIS SACRE PERHENNIS INSTET GLORIA. INSTET, id est in instanti, id est in continenti subsequatur.   15

8. DEUS CREATOR OMNIUM. Ad Deum Patrem oratio dirigitur sive ad sanctam trinitatem. Dicatur ergo DEUS CREATOR OMNIUM visibilium scilicet et invisibilium.

POLIQUE RECTOR, id est angelice creature vel ecclesie, que celum dicitur. Unde: *Celum michi sedes est.* Item anima iusti sedes   20
est Dei.

VESTIENS DIEM DECORO LUMINE, id est ornans diem materialem decoro lumine scilicet solis. Quod decorum dicitur quia magnum decorem prestat et tenebras penitus expellit.

NOCTEM SOPORIS GRATIA. Data est nox ad quietem   25
hominum et ad reparationem corporum fessorum, quia quod caret alterna requie durabile non est. In die vigilie sunt, in nocte sompnus propter quietem ut corpus fortius reparetur ad laborem, vel per diem possumus accipere contemplativos, per noctem activos. Contemplativos ornat Deus decoro lumine sue contemplationis, qualis potest   30
haberi in presenti, set activis dat soporis gratiam propter laborem actionis. Sane activa necessaria est contemplativis, quia per activam adquiruntur que membris sunt necessaria sustentandis. Per noctem merito possunt intelligi activi, quia terrena amministratio vix potest transigi sine peccato.   35

ARTUS SOLUTOS UT QUIES. Quasi diceret: Merito data est soporis gratia ut artus solutos labore, id est fatigatos, quies REDDAT, id est reparet, USUI LABORIS, quia post quietem labor sequens fortius toleratur.

MENTESQUE FESSAS ALLEVET. FESSAS scilicet anxietate   40
curarum, que plurimum mentem affligunt, maxime si modum excedant. Hoc bene norunt qui experti sunt.

---

40 MENTESQUE *marg. gl.* γ Quia compatitur corpus, patitur anima.

3-4 Boeth. *Consol.* 3. M9.3   4-5 Sap. 7.24   20 Act. 7.49   20 Cf. Sap. 3.1; Sir. 11.17; Eph. 2.22; Apc. 22.3

LUCTUS/155r/QUE SOLVAT ANXIOS. De die quandoque
procedit luctus ex causa vel dampni temporalis vel morte parentum
vel ex alia. Qui quandoque temperatur per quietem noctis. Oculi enim
quandoque prestant causam luctus, set interdum cessante causa cessat
5   effectus. ANXIOS dicit ab effectu.

GRATES PERACTO IAM DIE. Quasi solvimus grates peracto
die cum sospitate nostra te nos expectante ad penitentiam.

ET NOCTIS EXORTU SOLVIMUS PRECES UT ADIUVES
peccata dimittendo, gratiam largiendo, REOS VOTI saltem quod
10 fecimus in baptismo et forte alicuius alterius quod postea secutum
est. Vovere voluntatis est, reddere necessitatis. Qui ergo vult vovere
cum deliberatione prius metiatur vires suas ne dicatur ei: Iste *homo
cepit edificare et non potuit consummare.* Nos dico HYMNUM
CANENTES ad laudem tuam.

15 TE CORDIS IMA CONCINANT, id est cordis profunda te
concinendo laudent. Quod in profundo est procul est a superficie
terre, in qua sunt tumultus et strepitus hominum et curarum. Vult
ergo ut cor recedat a strepitu mundanorum et tunc salubrius laudabit
Dominum. Aliter: Due sunt partes rationis – superior et inferior.
20 Superior intendit cognitioni celestium et desiderio eternorum, et hec
pertinet ad sapientiam. Inferior pars, que pertinet ad scientiam,
insistit cognitioni et administrationi temporalium. Et quoniam
sapientia ex amore celestium fugit curam temporalium et strepitum
mundanorum per profundum cordis in hoc loco notatur. Devotius
25 enim laudat Deum quam pars inferior que negotiis temporalibus
occupatur.

TE VOX CANORA CONCREPET, id est resonet. TE DILIGAT
CASTUS AMOR, id est te diligamus ex casto amore. TE MENS
ADORET SOBRIA, non ebria calice Babilonis.

30 Et CUM PROFUNDA CLAUSERIT DIEM CALIGO NOC-
TIUM. Ad litteram. FIDES TENEBRAS NESCIAT, id est fideles
nesciant tenebras torporis et negligentie. ET NOX, id est homines
in nocte, FIDE RELUCEANT. Vel per diem possumus intelligere
prosperitatem, per caliginem noctium adversitatem, que plerumque
35 succedens prosperitati tanta est ut turbet fidem hominis et inducat
in tenebras negligentie et torporis.

Contra hoc oratio et petitio fit in his verbis: DORMIRE
MENTEM NE SINAS. SOMPNO scilicet quoniam dampnat apostolus

40   15 CORDIS *marg. gl. δ* Quod in massa universitatis est infimum infimum est.
Quod extremum est summum est. Dicatur ergo IMA sive infima CORDIS, quod idem
est *intima cordis*—Richardus. Item: Profunda cordis laudent Deum cum fidelis clauso
ostio cordis orat ad Deum.
      30 Et *marg. gl. γ* id est obscura. Quod in profunda terre est obscurum est. Unde
profunda sacre scripture dicuntur que obscura sunt in ea.
      32 negligentie *marg. gl. β¹* Vel fides tenebras nesciat, id est effectum sue lucis.

      6-11 Cf. Petr. Lomb. *Sent.* 4.17.1, 4.18.4   12-13 Lc. 14.30   19-22 Cf. Petr. Lomb.
Sent. 2.24.5; Aug. *De Trin.* 12.14.22   28-29 Cf. Ier. 51.7   33-36 Raban. M. *Alleg.*
s.v.   40-42 Cf. Rich. S. Vict. *Benj. Maj.* 4.6

      30 noctium: noxium, *cod.*

licens; *Hora est iam nos de sompno surgere.* Item: *Qui dormiunt nocte dormiunt.*

DORMIRE CULPA NOVERIT, id est auctor culpe. Si homo vigilat, diabolus dormit. Set si homo dormit, diabolus vigilat. Unde in evangelio: *Cum dormirent homines, inimicus homo superseminavit* 5 *zizania.* Set oportet ut vigilet in Deo et in salute sua. Unde in apocalipsi: *Beatus qui vigilat,* et ut intelligas ex quibus vigiliis loquitur, subdit: *Et custodit vestimenta sua,* id est virtutes, que sunt vestimenta anime. Unde in evangelio: *Amice, quomodo huc intrasti non habens vestem nuptialem,* id est caritatem? /155v/ Et in psalmo: *Sacerdotes* 10 *tui induantur iusticiam.* Item in Ysaya: *Induere vestimentis glorie tue, civitas sancti.* Diabolus dicitur dormire quando ex industria cessat ad tempus a temptatione ut, si postea viderit hominem nimis securum et ociosum, tunc suam exequatur malitiam.

CASTIS FIDES REFRIGERANS SOMPNI VAPOREM TEM- 15 PERET. Sensus est FIDES REFRIGERANS, id est refrigerium continentie prestans, TEMPERET VAPOREM SOMPNI, id est estum libidinose illusionis, qui quandoque contingit in sompnis et inquinat corpus et animam. TEMPERET scilicet in castis. Quidam, dum vigilant, fortiter tenent continentiam, set dum dormiunt, diabolus 20 agit in sompnis quod non potuit in vigiliis. Secundum Papiam: *Vapor* dicitur *estus,* dicitur etiam *nebula.* Unde in epistola Iacobi: Homo *est* quasi *vapor ad modicum parens.* Set quoniam predixit REFRIG-ERANS, magis congruum videtur ut hic vaporem estum apellemus.

EXUTA SENSU LUBRICO TE CORDIS ALTA SOMPNIENT, 25 quasi alta cordis, id est profunda cordis. Expone sicut superius EXUTA SENSU LUBRICO et induta sensu casto, SOMPNIENT TE, id est in sompnis meditentur te.

NE HOSTIS INVIDI DOLO PAVOR QUIETOS SUSCITET. Homo quandoque quietus est dum vigilat, unde serpens invidus 30 turbat eum in sompnis et pavorem inducit.

9. TE LUCIS ANTE TERMINUM, id est ante finem diei, RERUM CREATOR, POSCIMUS UT SOLITA CLEMENTIA, nec mirum si est solita quia est innata, SIS PRESUL AD CUSTODIAM, id est presideas nobis ad custodiam servando videlicet et manet 35 gratiam.

PROCUL RECEDANT SOMPNIA, que vexant scilicet dormientem et nichil utilitatis habent, ET NOCTIUM FANTASMATA, id est illusiones et deceptiones diabolice. HOSTEMQUE NOSTRUM COMPRIME, id est diabolum, NE POLLUANTUR CORPORA 40 pollutione scilicet luxurie sive in vigiliis sive in sompnis.

---

22 *estus marg. gl.* β Unde in Ysaya: Vapor *ignis flammantis* in die. Et in libro sapientie: *Sapientia* dicitur *vapor virtutis Dei,* calefaciens scilicet frigus infidelitatis nostre.

---

1 Rm. 13.11   1-2 1 Th. 5.7   5-6 Mt. 13.25   7-9 Apc. 16.15   9-10 Mt. 22.12   10-11 Ps. 131.9   11-12 Is. 52.1   22 Pap. *Glossar.* s.v.   24 Iac. 4.15   42 Is. 4.5   42-43 Sap. 7.25

10.   CHRISTE, QUI LUX ES ET DIES. Christus lux est. Unde
ipse dicit: *Ego sum lux mundi.* Dies quoque est. Unde ipse dicit
discipulis suis: *Nonne sunt duodecim hore diei?*
     NOCTIS TENEBRAS DETEGIS ad litteram. Detegis tenebras
5   noctis per adventum solis. Vel per tenebras noctis accipe subtiles
temptationes diaboli. De quibus apostolus: *Non ignoramus astucias*
Sathane. Sub spem boni quandoque decipit et transformat se in
angelum lucis. Astute decepit Evam permittens interrogationem et
dicens: *Cur precepit Deus vobis* et cetera, ut ex responsione eius
10 sumeret originem et processionem sue suggestionis quod et fecit. Audita
dubitatione misere mulieris dicentis: *Ne forte moriamur* et cetera,
has tenebras detegit Deus suis electis docendo eos ut non credant omni
spiritui.
     LUCISQUE LUMEN CREDERIS, quia ipse est lumen de
15 lumine, verbum de Patre, LUMEN BEATUM PREDICANS per se
et vicarios suos, id est vitam eternam.
     PRECAMUR, SANCTE DOMINE, DEFENDE NOS IN HAC
NOCTE scilicet temporali vel vita presenti, que nocti comparatur.
Defende videlicet ab hostibus visibilibus et invisibilibus.
20   SIT NOBIS IN TE REQUIES. Divites huius mundi quiescunt
in mundo et delectan/156r/tur in mundanis, set in te volumus delectari
docente propheta: *Delectare in Domino* et cetera.
     QUIETAM NOCTEM TRIBUE, quietam scilicet ab omni
perturbatione, NE GRAVIS SOMNUS IRRUAT, gravis scilicet
25 illusionibus, NEC HOSTIS NOS SUBRIPIAT ut simus eius rapina.
Scimus quia fortior es et, quando vis, aufers spolia eius et vasa eius
diripis, ideo confidenter petimus ne nos rapiat sibi.
     NE CARO ILLI CONSENTIENS NOS TIBI REOS STATUAT
illusione nocturna scilicet, OCULI SOMPNUM CAPIANT, COR
30 AD TE SEMPER VIGILET. Unde sponsa in canticis: *Ego dormio,
et cor meum vigilat.* Et licet alio modo ibi exponatur, huic tamen
sensui littera potest applicari.
     DEXTERA TUA PROTEGAT, id est potentia tua, que potest
significari per dexteram, quia dextera fortior est sinistra, vel quia
35 eterna significantur per dexteram que dantur ex gratia Dei. Dicatur
DEXTERA TUA, id est propitiatio tua vel gratia tua, PROTEGAT
FAMULOS QUI TE DILIGUNT.
     DEFENSOR NOSTER, ASPICE nos indigentes respectu tuo,
INSIDIANTES REPRIME scilicet demones ne nobis noceant,
40 GUBERNA TUOS FAMULOS QUOS SANGUINE MERCATUS
ES, quia dedisti sanguinem tuum precium redemptionis nostre.
     MEMENTO NOSTRI, DOMINE, IN GRAVI ISTO CORPORE.
Corpus quod corrumpitur aggravat animam, et deprimit terrena
inhabitatio sensum multa cogitantem. Unde apostolus clamat dicens:
45 *Infelix homo, quis me liberabit de corpore mortis huius?* Set per quid

---

1 Cf. Greg. M. *Moral.* 20.22, 30.32   2 Io. 8.12   3 Io. 11.9   6 2 Cor. 2.11
9 Gn. 3.1   11 Gn. 3.3   22 Ps. 36.4   30-31 Ct. 5.2   45 Rm. 7.24

debeat liberari ostendit cum subdit: *Gratia Dei per Dominum nostrum Iesum Christum.*

QUI ES DEFENSOR ANIME, ADESTO NOBIS, DOMINE, qui dicit antequam: Me *invocetis, ecce adsum.*

11. QUEM TERRA, PONTUS, ET ETHRA COLUNT, ADORANT, PREDICANT TRINAM REGENTEM MACHINAM CLAUSTRUM MARIE BAIULAT. Per terram accipit habitatores terre, per pontum illos qui sunt in mari, per ethram angelos, vel hoc ideo dicit, quia ista insensata sunt nobis causa et materia colendi, adorandi, et predicandi Deum. Unde in psalmo sub hoc sensu invitantur *ad laudandum Deum.* Trinam machinam vocat celestem, terrestrem, et infernalem.

CUI LUNA, SOL ET SIDERA DESERVIUNT PER TEM-PORA. Sol enim illuminat diem. Luna et sidera noctem. Vel per lunam intellige ecclesiam, per solem perfectos iustos, per sidera minus perfectos. Hec deserviunt Deo credendo in eum, bene operando, diligendo, et obediendo. Set PER TEMPORA, id est secundum successionem suam in mortalitate huius vite, ubi alii aliis succedunt.

PERFUSA CELI GRATIA GESTANT PUELLE VISCERA. *Angelus* enim ei *dixit, "Ave, gratia plena"* et cetera. Item: *Spiritus Sanctus superveniet in te* et cetera.

BEATA MATER, MUNERE, ei spiritualiter dato de incarnatione Filii Dei, CUIUS SUPERNUS ARTIFEX MUNDUM PUGILLO CONTINENS, id est quasi pugillo; qui aliquid tenet in pugillo exterior pugillo est, et Deus ita continet mundum, quod non est conclusus in mundo set exterior est. Vel MUNDUM PUGILLO CONTINENS, quod in pugillo est de facili portatur et tenetur. Unde dicit MUNDUM et cetera, /156v/ id est de facili portans et continens. Vel quia pugillus sive pugnus fit contractis digitis ut sit quasi quoddam rotundum; in hoc voluit notare globum mundi, qui a philosophis dicitur spericus et rotundus.

VENTRIS SUB ARCHA CLAUSUS EST, id est in utero eius.

BEATA CELI NUNTIO, nuntius dicitur et qui nuntiat et quod nuntiatur. Dicatur ergo BEATA CELI NUNTIO, id est beata eo quod nuntiatum est ei per celum, id est per angelum, de conceptione scilicet Filii Dei et de aliis que dicta sunt ei ab angelo.

FECUNDA SANCTO SPIRITU, id est operatione Spiritus Sancti, DESIDERATUS GENTIBUS CUIUS PER ALVUM FUSUS EST, id est de cuius utero natus est. DESIDERATUS GENTIBUS, id est desideratus a prophetis ad gentes convertendas, et secundum

---

5 ETHRA *marg. gl.* γ Pars mundi a lunari regione inferior usque ad terram aer dicitur. Superior ether.

1-2 Rm. 7.25   4 Is. 58.9   9-11 Cf. Apc. 5.13   11 2 Par. 7.6   20-21 Lc. 1.28   20-21 Lc. 1.35   25 Is. 40.12   28-29 Cf. Pap. *Glossar.* s.v.   29-30 Cf. Boeth. *Arithm.* 1.1   33-36 Cf. Lc. 1   33 Cf. Pap. *Glossar.* s.v.   41-42 Cf. Isid. *Orig.* 13.5.1, 13.7.1; Pap. *Glossar.,* s.v.

hanc lectionem GENTIBUS est dativi casus et legitur adquisitive, id
est ad utilitatem gentium. Vel DESIDERATUS GENTIBUS, id est
a gentibus, id est ab illis qui de gentibus fidem habuerant, sicut Iob
et quidam alii qui prophetice noverant gentilitatem convertendam ad
5 adventum eius. Unde desiderabant illum propter conversionem gentis
sue.

12. CONDITOR ALME SYDERUM, ad litteram vel SID-
ERUM, id est iustorum qui lucent in medio nationis prave et perverse
et illuminant noctem huius mundi vita et doctrina.
10 ETERNA LUX CREDENTIUM, que scilicet illuminat credentes
luce fidei et operum eius, CHRISTE REDEMPTOR OMNIUM
scilicet electorum, vel hoc dicit propter sufficientiam, quia ipse fuit
sufficiens hostia pro omnibus. EXAUDI PRECES SUPLICUM.
QUI CONDOLENS HOMINIBUS antropopathos est, id est
15 humana propassio; attribuit Deo quod hominis est, quia dolor non
est Dei set hominis.
MORTIS SUBIECTIS LEGIBUS, id est necessitati moriendi,
FACTUS HOMO, RESTITUIS VITAM IN TUO SANGUINE, id est
effusione tui sanguinis.
20 VERGENTE MUNDI VESPERE, id est sexta et ultima etate,
UTI SPONSUS DE THALAMO, quia scilicet in utero virginis divina
natura unita est humane, et facti sunt sponsus et sponsa Christus
et ecclesia.
EGRESSUS HONESTISSIMA VIRGINIS MATRIS CLAU-
25 SULA. CLAUSULA dicit quia clausa porta, matre integra natus est,
et hoc potuit qui omnia que vult facit.
CUIUS FORTI POTENTIE GENU FLECTATUR OMNIUM
CELESTIUM, TERRESTRIUM NECNON ET INFERNALIUM,
id est cuius potentie omnia sunt subiecta, TE DEPRECAMUR
30 AGYE, id est sancte, VENTURE IUDEX SECULI, CONSERVA
NOS IN TEMPORE QUO DIU SUMUS ADVENE. Unde apostolus:
Quamdiu *sumus in* hoc mortali *corpore peregrinamur a Domino.* Et
psalmista: Incola *sum apud te et peregrinus sicut omnes patres mei.*

13. INTENDE QUI REGIS ISRAEL. Patres veteris testamenti,
35 assumpta voce iustorum novi testamenti, ex persona eorum plerumque
dicebant que ipsis futura erant tamquam preterita et nobis modo sunt
preterita, et postea resumebant vocem ex persona sua. Unde in
psalmo: *Benedixisti, Domine, terram,* ubi loquntur ex persona unius
usque /157r/ ad versum illum: *Converte nos, Deus* et cetera, ubi
40 resumunt vocem ex persona sua. Idem habes in psalmo: *In convertendo Dominus captivitatem* et cetera, usque ad versum illum:

14-16 Cf. Alan. Ins. *Theol. Reg.* 105   20-23 Cf. Isid. *Orig.* 5.38.5; Alan. Ins.
Dist. s.v.   32 2 Cor. 5.6   33 Ps. 38.13   34-37 Cf. Petr. Lomb. *Sent.* 1.41.3   34-36 Cf.
Ecl. 8.7; Sap. 8.8   38 Ps. 84.2   39 Ps. 84.5   40-41 Ps. 125.1

34 veteris: veteri, *cod.*

Converte, Domine, et cetera. Nec est contrarium quod expositores dicunt quod prophetica certitudine predicebant futura tamquam preterita. Ita e contrario ex persona antiquorum loquimur eorum desiderium recolentes sicut in hoc hymno in primis duobus versibus. Vel potius vox est ecclesie de gentibus, id est gentilitatis converse, que 5 desiderans salutem fratrum et conversionem cognationis sue orat et petit adventum Christi per fidem et infusionem gratie ad ipsam convertendam. Dicit ergo: O Christe, QUI REGIS ISRAEL, id est fidelem populum, INTENDE, id est miseratus respice eos qui indigent respectu misericordie tue. 10

QUI SEDES SUPER CHERUBIN. Per CHERUBIN intelligit omnes ordines angelorum, super quos dicitur sedere Deus, quia in illis requiescit. Specialiter tamen dicitur sedere super thronos, quia per illos iuditia sua decernit. Vel quia cherubin interpretatur plenitudo scientie, per cherubin possunt accipi illi qui habent plenitudinem 15 scientie in quibus requiescit Deus. Unde in psalmo: *Hec requies mea in seculum seculi.*

APPARE EFFREM CORAM, id est CORAM EFFRAIM, id est coram fideli populo. Effraim interpretatur fructificans qui facit fructus bonorum operum. Facit etiam fructum tricesimum, sexa- 20 gesimum, centesimum. Appare per miracula. Appare per beneficia. Appare gratiam largiendo. Appare misericordiam impendendo ut hii qui nondum crediderunt videntes mirabilia tua glorificent te, promptius convertantur ad te. Aliter legatur littera APPARE EFFRAIM, id est fideli populo, et hoc fiat CORAM, id est in manifesto. Et hoc contigit 25 tempore apostolorum, per quos manifestavit fidem suam et doctrinam fidelibus suis.

EXCITA POTENTIAM TUAM ET VENI. Preposteratio est verborum, sicut expositio dicit super versum psalmi, unde sumpta sunt verba ista, quasi VENI per incarnationem, EXCITA POTEN- 30 TIAM TUAM per resurrectionem.

VENI, REDEMPTOR GENTIUM, quasi diceret: Tu, qui es redemptor gentium, veni ad gentes. Venisti ad Iudeos per legem Moysi, veni ad nos per legem gratie. Illa lex erat in vindicta, ista est in misericordia. Veni adventu spirituali; qui tociens iteratur quociens 35 post peccatum homo vere compungitur.

OSTENDE PARTUM VIRGINIS, id est te ipsum, vel actum et modum pariendi in virgine. Et quoniam iste iam instructus est de partu, subdit MIRETUR OMNE SECULUM, TALIS DECET PARTUS DEUM ut scilicet virgo concipiat Deum et virgo pariat 40 Deum, quasi dicat: Iam instructi sumus, instrue alios ut et ipsi similiter credant. Vel instrue nos ut plenius misterium cognoscamus.

---

1 Ps. 125.4 8-11 Cf. 2 Rg. 19.15; Ps. 79.2; Is. 37.16 11-14 Alan. Ins. *Dist.* s.v. 16-17 Ps. 131.14 18 Ps. 79.3 19-20 Cf. Gn. 41.52 20-21 Cf. Mc. 4.20 25-27 Cf. Io. 15.27 28-31 Cf. *Gloss. Ord.* Ps. 79.3 29-30 Cf. Ps. 79.3 33-34 Cf. Act. 7.34-35 34-35 Cf. Petr. Lomb. *Sent.* 4.17.1, 4.18.4 39-40 Cf. Is. 7.14; Mt. 1.23

8 convertendam: convertandem, *cod.*

NON EX VIRILI SEMINE SET MYSTICO SPIRAMINE, id est Spiritu Sancto occulte et mirabiliter in ea operante. Unde in evangelio: *Spiritus Sanctus superveniet* /157v/ *in te* et cetera. Et angelus ad Ioseph: *Quod enim in ea natum est de Spiritu Sancto est.*

5   VERBUM DEI FACTUM EST CARO, id est homo, FRUCTUSQUE VENTRIS FLORUIT. Nec mirum quia ipse est qui dicit: *Ego flos campi et lilium convallium.* Et in Ysaya: *Egredietur virga de radice Iesse, et flos de radice eius ascendet.* Secundum cursum nature prius est germen, postea flos, tercio fructus, set in Filio gloriose
10   virginis simul fuerunt germen, flos, et fructus. In Ieremia legitur: *Novum* faciet Deus *super terram. Mulier circumdabit virum* a tempore scilicet conceptionis. Ex quo enim virgo consensit et dixit: *Ecce ancilla Domini* et cetera, statim divina natura unita est humane, et Deus factus est homo in vera anima et vera carne. De hoc germine et fructu
15   dicit Ysayas: *In illa die erit germen Domini in magnificentia et gloria, et fructus terre sublimis.*

ALVUS TUMESCIT VIRGINIS scilicet pregnantis; CLAUSTRUM PUDORIS PERMANET integrum scilicet; VERSATUR IN TEMPLO DEUS, id est conversatur in Maria, ut in templo suo, in
20   cuius utero habitabat.

PROCEDIT E THALAMO SUO, id est AULA PUDORIS REGIA, quia ibi rex habitabat. De quo in psalmo: *Deus, iuditium tuum regi da et iusticiam tuam filio regis.* Et sponsa in canticis: *Introduxit me rex in cellaria sua.*

25   GEMINE GIGAS SUBSTANCIE, id est divine et humane nature. GIGAS dicitur quia fortis est, quia alligavit fortem et diripuit vasa eius.

ALACRIS UT CURRAT VIAM, id est ut exultans currat viam vite presentis. Ipse enim in brevi victoriam obtinuit et hominem
30   perditum reparavit. In psalmo legitur: *Tanquam sponsus procedens de thalamo suo.* In utero enim virginali nuptie celebrate sunt inter Christum et ecclesiam, quia ibi divina natura unita est humane.

EGRESSUS EIUS A PATRE, REGRESSUS EIUS AD PATREM. In evangelio dicit: *Exivi a Patre et veni in mundum, iterum*
35   *relinquo mundum et vado ad Patrem.*

EXCURSUS USQUE AD INFEROS quantum ad animam scilicet, quia anima fuit in inferno, corpus iacuit in sepulchro.

RECURSUS AD SEDEM DEI quando scilicet ascendit, EQUALIS ETERNO PATRI videlicet secundum divinitatem.

40   CARNIS TROPHEO CINGERE, id est cingere carne in qua triumphes de diabolo. Gladio cingimur quando pugnare debemus; Christus autem humanitate quasi gladio cinctus est, quia in humanitate pugnavit et triumphavit. Vel CINGERE carne resurgendo ostendens

---

3 Lc. 1.35   4 Mt. 1.20; cf. Io. 3.6   5 Cf. Io. 1.14   7 Ct. 2.1   7-8 Is. 11.1   9 Cf. Alan. Ins. *Dist.* s.v.   11 Ier. 31.22   12-13 Lc. 1.38   13-14 Cf. Aug. *Trin.* 13.19.24; Petr. Lomb. *Sent.* 3.5.3, 3.6.2-3   15-16 Is. 4.2   20 Cf. Ps. 18.6   22-23 Ps. 71.2   24 Ct. 1.3   25-26 Cf. Ps. 18.6; Ambr. *Incarn.* 5.35; Alan. Ins. *Dist.* s.v.   30-31 Ps. 18.6   34-35 Io. 16.28

victoriam tuam, tunc enim *absorta est mors in victoria,* in re quantum ad ipsum, in spe quantum ad membra.

INFIRMA NOSTRI CORPORIS VIRTUTE FIRMANS PERPETI. Hoc erit in generali resurrectione quando corpora electorum fient incorruptibilia, splendida, agilia et subtilia.   5

PRESEPE IAM FULGET TUUM, id est ecclesia, in qua animalia tua reficiuntur tritico tuo. Ipse enim assumpsit fenum nostrum ut nos reficeret frumento suo, id est corpore suo. Ecclesia de gentibus primo fulsit in tribus magis, qui fuerunt primitie gentium.

LUMENQUE NOX SPIRAT NOVUM. NOX, id est gentilitas   10
perversa. Unde apostolus: *Eratis aliquando tenebre, nunc autem lux in Domino.* LUMEN scilicet fidei et bone operationis. Bona enim opera nostra lucere debent ad edificationem proximi, non ad glori/158r/am humani favoris. Unde: *Sic luceant* opera *vestra bona coram hominibus ut glorificent Patrem vestrum, qui in celis est.* Aliter   15
ex persona generalis ecclesie, Dominus dicit: *Habenti dabitur et habundabit.* In die pentecostes datus est Spiritus Sanctus discipulis, quem iam habebant ut scilicet plenius haberent et robustiores essent contra persecutiones mundi et hostes fidei in tormentis suis. Ecclesia quoque clamat ad Spiritum Sanctum, quem habet, orans et dicens: 20
VENI, CREATOR SPIRITUS, MENTES TUORUM VISITA.

Sub eadem forma loquitur ad verbum incarnatum: VENI, REDEMPTOR GENTIUM, quasi diu est quod induisti carnem nostram. Diu est quod natus es de virgine, iam venisti ad nos per fidem, per gratie infusionem. Anniversarius est dies nativitatis tue.   25
Unde indigemus adventu tuo, qui nobis necessarius est, qui nos faciat gaudere et gratias agere memores caritatis tue, visitationis, et humilitatis.

OSTENDE PARTUM VIRGINIS, quasi iam ostendisti nobis partum illum, quem tenemus per fidem. Set quia mirabile est, petimus   30
adhuc ostendi ut numquam excidat a memoria nec a devotione nostra, ut misterium plenius cognoscamus et recolamus.

MIRETUR OMNE SECULUM. Homines non solent mirari quod secundum cursum nature vident contingere, set quod contra naturam. Contra naturam virgo peperit; miretur ergo omne seculum,   35
ita tamen quod hec admiratio non tollat fidem. Deus enim fecit naturam et contrariam potest instituere; multo fortius contra eam potest aliquid ordinare. Miracula ergo Dei recipienda sunt a nobis cum gaudio, qui eum credimus omnipotentem.

Deus est qui concipitur hoc modo et nascitur, et TALIS DECET   40
PARTUS DEUM. Cetera que secuntur prosequere secundum quod expositum est.

---

1 1 Cor. 15.54   3-5 Cf. Aug. *Enchir.* 91; Petr. Lomb. *Sent.* 4.43.7, 4.44.3   6-8 Cf. Alan. Ins. *Dist.* s.v.   7-8 Cf. Ps. 102.15; Is. 37.27; Io. 6.48, 12.24; Petr. Lomb. *Sent.* 4.11.5   8 Cf. Mt. 2.1-16   11-12 Eph. 5.8   14-15 Mt. 5.16   16-17 Mt. 25.29; Lc. 19.26   17-19 Cf. Act. 2.1-4

33 solent: solum, *cod.*

14. ENIXA EST PUERPERA. Mariam dicit puerperam antono masice, quia peperit puerum dignissimum puerorum. De quo Ysayas Puer *natus est nobis* et cetera. Hic *pueros,* id est puros facit. Unde propheta: *Ecce ego et pueri mei, quos dedit michi* Deus.

5 QUEM GABRIEL PREDIXERAT, et bene Gabriel, id est fortitudo Dei, quia nuntiavit fortem, immo fortissimum, qui fortem alligavit potentem set omnipotentem.

QUEM MATRIS ALVO GESTIENS, id est exultans, CLAUSUS IOHANNES SENSERAT. Unde de eo Elyzabeth dixit: *Exultavit* 10 *infans in utero* et cetera.

FENO IACERE PERTULIT, fenum nostrum accepit ut frumentum suum nobis daret. PRESEPE NON ABHORRUIT materiale scilicet ut presepe spirituale, id est ecclesiam, sibi eligeret.

PARVOQUE LACTE PASTUS EST ut nos lacte simplicis 15 doctrine nos pasceret, PER QUEM NEC ALES ESURIT, id est reficitur; lithote est – minus dicit et plus significat.

GAUDET CHORUS CELESTIUM de reparatione sue ruine, ET ANGELI CANUNT DEO: *Gloria in excelsis Deo* et cetera.

PALAMQUE FIT PASTORIBUS PASTOR, CREATOR OM-20 NIUM, id est manifestus quia audito verbo angeli statim transierunt in Bethleem ut viderent de verbo quod dictum erat eis, viderunt et cognoverunt. Pastor apparuit pastoribus, rex regibus, quia humilis /158v/ erat secundum humanitatem, potens secundum divinitatem, quia propter pauperes et divites venerat et utrosque vocaturus erat.

25 MEMENTO, SALUTIS AUCTOR; ex devotione procedunt verba ista ut qui frater noster est secundum humanitatem facilius inflectatur ut fratrum misereatur.

Dicamus ergo de amore fratris confidentes: MEMENTO, SALUTIS AUCTOR, QUOD NOSTRI QUONDAM CORPORIS EX 30 ILLIBATA VIRGINE NASCENDO FORMAM SUMPSERIS.

15. A SOLIS ORTUS CARDINE AD USQUE TERRE LIMI-TEM, id est occidentem, CHRISTUM CANAMUS PRINCIPEM, id est canendo laudemus, NATUM MARIA VIRGINE. Hic loquitur generalis iustus, id est universalis ecclesia per mundum diffusa, sicut 35 in psalmo: *A finibus terre ad te clamavi.* Vel una persona hic loquitur et excitat se et omnes fideles ad laudandum Christum.

BEATUS AUCTOR SECULI, vere beatus quia in se beatus et fideles suos beatos efficit. SERVILE CORPUS INDUIT, id est corpus

40 4 Deus *marg. gl.* γ¹ Vel ideo puerpera dicitur quia statim in concepcione puerum habuit in uterum constantem ex anima et carne.
12 PRESEPE *marg. gl.* β In hystoria scolastica legitur quod secundum quosdam Ioseph ducit secum bovem et asinum, propter quos presepe fecit. Unde Ysaias: *Cognovit bos possessorem suum et asinus presepe Domini sui* ad litteram.

3 Is. 9.6   3-4 Cf. Isid. *Orig.* 11.2.10; Alan. Ins. *Dist.* s.v.   4 Is. 8.18; cf. Hbr. 2.13   9-10 Lc. 1.41   14 Cf. Hbr. 5.12-13; Alan. Ins. *Dist.* s.v.   18 *Can. Miss.;* cf. Lc. 2.14   21-22 Cf. Lc. 2.8-20   23-24 Cf. Mt. 2.1-12   35 Ps. 60.3   38 Cf. Petr. Lomb. *Sent.* 3.6.5   42-44 Cf. Petr. Com. *Hist.* 5   42-44 Is. 1.3

servi sui, id est hominis. Huic verbo, quod hic ponitur INDUIT, concordat quod apostolus dicit: *Et habitu inventus ut homo.* Hoc noto propter sententiam unam quam cum aliis prosequitur magister in sententiis.

UT CARNE CARNEM LIBERANS, id est ut humanitate sua   5
hominem liberans, NE PERDERET QUOD CONDIDIT. Hic ponitur NE pro *non,* ut in psalmo: *Suscipe me,* Domine, *secundum eloquium tuum, et vivam,* et ne *confundas* et cetera. *Ne* pro *non* ibi ponitur. Aliter: UT LIBERANS, id est vere liberans, et ponitur UT non similitudinarie set expressive, sicut in evangelio: *Vidimus gloriam eius quasi*   10
unigeniti a Patre, id est vere unigeniti. Et secundum hoc legitur NE inusitata significatione, id est ut non perderet quod condidit.

CASTE PARENTIS VISCERA, id est mentem, CELESTIS INTRAT GRATIA. Unde Angelus: *Spiritus Sanctus superveniet in te* et cetera.   15

VENTER PUELLE BAIULAT SECRETA QUE NON NOVERAT ante scilicet annuntiationem sibi factam. Vel hoc dicit quia forte non plene novit mysterium incarnationis, sicut Iohannes baptista de se dicit: *Cuius non sum dignus solvere corrigiam calciamenti;* nisi quis dicat quod mysterium incarnationis ei plenius fuit revelatum   20
quam aliis.

DOMUS PUDICI PECTORIS TEMPLUM REPENTE FIT DEI. Ante annuntiationem angeli templum erat Dei per inhabitantem gratiam, set habita responsione eius: *Ecce ancilla Domini* et cetera, facta est templum Domini alio modo, quia tunc habuit Filium Dei   25
in utero secundum humanitatem assumptam.

INTACTA NESCIENS VIRUM, id est nesciens carnalem commixtionem viri, VERBO CONCEPIT FILIUM, verbo scilicet suo cum prolatum fuit, quia statim concepit, vel verbo angeli statim concepit.   30

16.   ILLUMINANS ALTISSIMUS MICANTIUM ASTRORUM GLOBOS. In hoc hymno tria notantur miracula de triplici apparitione que contigerunt una die set diversis annis. Prima apparitio fuit in stella et dicitur *epyphania* ab *epy,* quod est supra, et *phania,* quod est apparitio, id est in /159r/ supernis apparitio. Secunda fuit in   35
baptismo ubi Pater apparuit in voce, Filius in carne, Spiritus Sanctus in columba, et dicitur *theophania* a *theos,* quod est Deus, et *phanya,* id est divina apparitio. Tercia fuit in domo ubi apparuit divinitas Christi in mutatione aque in vinum, et dicitur *bethphania* a *beth,* quod est domus, et *phania,* id est apparitio in domo.   40

---

9 LIBERANS *marg. gl.* γ^i construatur cum verbo precedenti. Dicatur ergo INDUIT UT LIBERANS.

1-2 Cf. Petr. Lomb. *Sent; 3.6.5   2 Phil. 2.7   8-9 Ps. 118.116   9-10 Cf. Alger. *Sacram.* 1.5   10-11 Io. 1.14   13 Lc. 1.35   19 Io. 1.27   24 Lc. 1.38   34 Cf. Isid. *Orig.* 6.18.6; Alan. Ins. *Dist.* s.v.   35-36 Cf. Mt. 3.16-17; Mc. 1.10-11; Lc. 3.22; Io. 1.32; Alan. Ins. *Dist.* s.v.   38-39 Cf. Io. 2.1-11

Beatus Ambrosius videtur notare quartum miraculum de re-
fectione hominum in eadem die, ubi dicit in eodem hymno: SIC
QUINQUE MILIBUS VIRIS et cetera. Littera plana est, nec volumus
immorari in superfluis. Sciendum tamen quod globus dicitur corpus
5   rotundum cuius forme sunt planete et stelle. Unde Martianus in
principio astrologie: *Mundus igitur ex quattuor elementis* constat
eisdemque totis in modum spere globatus. Dicitur etiam *globus
acervus,* dicitur et aliis modis secundum Papyam. Secundum istas
duas acceptiones potest legi littera.
10   CONVERSA QUONDAM TERTIO. Primo sub Iosue, secundo
sub Helya, tercio sub Helyseo.
ELEMENTA MUTATA STUPENT. Stupere dicuntur quia et
causa et materia sunt ut faciant homines stupere, sicut et laudare
Deum dicuntur quia sunt causa et materia laudis. Simile habetur in
15   quadam antiphona: BAPTIZAT MILES REGEM, SERVUS DOM-
INUM SUUM, IOHANNES SALVATOREM. AQUA IORDANIS
STUPUIT et cetera.

17. SUMMI LARGITOR PREMII, SPES UNA MUNDI
PERDITI. Quidam sperant in incerto divitiarum, quidam in fortuna,
20   que arridet eis, alii in aliis transitoriis, que eos decipiunt; set qui recte
sperat in Domino sperat. Hec enim spes ita describitur: *Spes est
exspectatio futur*orum bonorum *ex meritis et gratia* proveniens. Per
mundum intellige homines, perditi scilicet per Adam.
PRECES INTENDE PAUPERUM, id est humilium. Non est
25   enim vera paupertas sine humilitate. Unde Dominus: *Beati pauperes,*
id est humiles, *quoniam ipsorum est regnum celorum.*
AD PEDES TUOS FLENTIUM scilicet pro irriguo inferiori et
irriguo superiori. Per pedes Christi intelligitur eius humanitas. Unde
in psalmo: *Donec ponam inimicos tuos scabellum pedum tuorum,*
30   id est subiectos humanitatis tue. Et alibi: *Omnia subiecisti sub pedibus
eius.* Pedes quoque Christi cum Maria Magdalene lacrimis lavat qui
veram humanitatem eius credit et eam lacrimosa contritione honorat.
De capite eius, id est divinitate, legitur in cantico amoris: *Capud eius
aurum obtimum.* Divinitas significatur per aurum obtimum, quia per
35   aurum bonum significatur sapientia Dei; hoc aurum obtulerunt magi,
hoc aurum offert qui contempta sapientia mundi se penitus transfert
ad sapientiam Dei. Aurum quoque significat caritatem. Unde
Iohannes in apocalipsi de filio hominis dicit quod ipse precinctus
erat zona aurea, id est caritate, et *Deus caritas est.* Dicatur ergo AD
40   PEDES TUOS FLENTIUM, id est ad humilitatem humanitatis tue.

---

1 *marg. gl.* ε Idem dicit Beda.

1-2 Mt. 14.15-21; Mc. 6.35-44; Lc. 9.12-17   6-7 Mart. Cap. *De Nupt.* 8.814   7-8
Pap. *Glossar.* s.v.   10-11 Cf. Ios. 3.14-17, 6.20; 4 Rg. 2.8-14   16-17 Cf. Mt. 3.13-17;
Mc. 1.9-12; Lc. 3.21-22; Io. 1.29-33   21-22 Petr. Lomb., *Sent.* 3.26.1   25-26 Mt. 5.3;
cf. Lc. 6.20   27-40 Cf. Alan. Ins. *Dist.* s.v.   30-31 Ps. 109.1   30-31 Ps. 8.8; Hbr. 2.8;
cf. 1 Cor. 15.26   31-32 Cf. Mt. 26.7; Mc. 14.35; Lc. 7.38; Io. 12.3   33-34 Ct. 5.11
34-35 Cf. Mt. 2.11   37-38 Cf. Apc. 1.13   39 1 Io. 4.8   41 Cf. Bed. *De Nat. Rer.* 3

NOSTRA NOS CONSCIENTIA CULPIS ACCUSAT GRAVI-
US, mentes accusat, et accusat confessio ut plena sit accusatio et
uctifera.
QUAM EMUNDES SUPPLICAMUS AB /159v/ OMNIBUS
IACULIS, id est peccatis que indigent piatione, id est purgatione. 5
SI RENUIS, QUIS TRIBUET? Quasi si renuis parare nobis
mundationem, quis tribuet eam? Tu enim solus salvas. Tu solus
:mittis peccata. Tu solus das vitam eternam. Alii possunt pro nobis
rare; tu solus potes salvare. Unde Petrus: *Domine, ad quem ibimus?*
erba vite eterne habes. 10
INDULGE, QUIA MITIS ES, fons indeficiens, fons pietatis, SI
:ORDE ROGAMUS PIO, CERTE DEBES EX PROMISSO. Debitor
oster es non ex commisso set ex promisso; set quomodo ex promisso,
uia promisisti et dixisti: *Revertimini ad me, et ego revertar ad vos.*
:t in Ieremia: *Convertimini, filii recedentes, et assumam unum de* 15
ivitate et duos de cognatione et introducam vos in Syon. Item in
vangelio: *Venite ad me, omnes qui laboratis et onerati estis, et ego*
os reficiam. Item in propheta: Quacumque hora peccator ingemuerit
ro peccato, *omnium iniquitatum eius non recordabor.* Quia ergo
romisisti et fidelis es in promisso et potens solvere, recipe contritos, 20
ecipe confitentes, noli abicere illos.
ERGO ACCEPTA MISTICUM QUOD SACRASTI IEIUNIUM.
eiunium dicitur mysticum quia mysticus est numerus in quo cele-
ratur, id est quadragenarius; dicas quater decem vel decies quatuor
t habebis quadraginta. Quaternarius refertur ad doctrinam evan- 25
elicam propter quatuor evangelia, denarius ad decem precepta legis.
Qui autem in hoc ieiunio observat doctrinam evangelicam et decem
recepta legis digne accedet in pascha ad eucharistiam. Aliter: Corpus
umanum constat *ex quatuor elementis,* habet quoque quatuor
omplexiones: calidam, frigidam, siccam et humidam. Distemperata 30
utem caliditas quandoque trahit ad iram; immoderata frigiditas
lerumque ad accidiam propter tristiciam, quam generat melancolia;
uperexcedens humiditas interdum ad luxuriam; et plus iusto nimia
iccitas ad ebrietatem ut ex nimio potu humectetur corpus.
Affligendum est ergo corpus per ieiunium ita tamen quod 35
noderata sit abstinentia, sicut apostolus dicit: *Rationabile* sit
bsequium vestrum, ne ex distemperantia complexionis sequatur
listemperantia vitiorum. Omne enim peccatum in distemperantia est,
uia modum excedit; virtus vero modum tenet. Unde a quibusdam
ic describitur: Virtus est equalitas mentis undique rationi consentiens. 40

---

5 purgatione *suprascr. gl.* γ per penitentiam

7-8 Cf. *Can. Miss.*; Petr. Lomb. *Sent.* 4.18.4-5   9-10 Io. 6.69   14 Mal. 3.7   15-16
er. 3.14   17-18 Mt. 11.28   18-19 Ez. 18.21-22; cf. Ez. 33.14-15, 33.19; Is. 18.8   19-20
Cf. Petr. Lomb. *Sent.* 4.18.4-5   22-25 Cf. Raban. M. *In Ezech.* 11.29   27-30 Cf. Honor.
Aug. *Sacram.* 50; Alan. Ins. *Poen.*   29 Isid. *Orig.* 11.1.16   36-37 Rm. 12.1   40 Cf.
Cic. *Inv.* 2.53.159; Petr. Lomb. *Sent.* 3.36

Et in poeta: Virtus est medium vitiorum utrimque redactum. Et alib
Est modus in rebus; sunt certi denique fines, ultra quos citraqu
nequit consistere rectum.

    Denarius refertur ad quinque sensus corporis, qui duplica

5 propter utrumque sexum faciunt decem. Anima vero illos debet rege
ut convertantur ad obsequium Dei, non ad vanitates et malicia
mundi. Aliter potes intelligere hunc dena/160r/rium: In glorificatio
corporis, quatuor dotes ei dabuntur scilicet incorruptibilitas, splendo
subtilitas et agilitas. Anime dabuntur rationalitas, concupiscibilit

10 et rationabilitas. Hee sunt tres potentie anime naturales que an
peccatum in bono statu fuerunt, quia homo discernebat bonum
malo, fugiebat malum et eligebat bonum et hoc faciebat per ratio
alitatem. Concupiscebat bonum et abiciebat malum, irascebatu
contra malum et adherebat bono, set hee corrupte sunt per peccatu

15 primi hominis. Omnis enim etas ab adolescentia prona est ad malun
reformabuntur autem in resurrectione etiam melius quam an
peccatum, quia flecti non poterunt ad malum.

    Ecce habes septenarium in dotibus anime et corporis; sequitu
ternarius qui consistit in visione Patris, visione Filii, visione Spiritu

20 Sancti. Sic habes denarium qui datus est cultoribus vinee, et primi
et novissimis. Qui digne celebrat hoc ieiunium et tenet evangelicar
doctrinam et perseveraverit usque in finem hoc denario gaudebit

    Vel ideo vita eterna per denarium significatur quia denariu
ultimus numerus est; quod supra ipsum est non dicitur propri

25 numerus set replicatio numerorum, verbi gratia: undecim sunt decer
et unum, viginti bis decem, centum decies decem, mille decies decer
decies. Et quoniam supra cognitionem et vitam eternam nich
debemus petere aut querere, recte per denarium significatur.

    Moyses ieiunavit ut darentur ei prime tabule legis; set qui

30 confracte fuerunt proiecte in terram vindicata iniuria Dei, iterun
ascendit in montem, ieiunavit, et secundas obtinuit. Descendit erg
et verbis eius recitatis ad populum, secundum quosdam, tercio ascendi
et ieiunavit ut populo veniam impetraret, et finito illo ieiunio secutu
est dies propitiationis, qui sollempnis est apud Iudeos.

35   Elyas ieiunavit *quadraginta diebus* et totidem *noctibus, qu*
accepto pane angelico et potu *in fortitudine cibi illius* perrexit *usqu*
ad montem Dei, Oreb. Qui ergo vult ascendere ad montem, Christum
ieiunet et abstineat a cibis et vitiis.

---

40   28 significatur *marg. gl. β* Item quadragenarius numerus est abstinentie et laboris
Est autem numerus superexcedens, quia partes eius aggregate ipsum excedunt et faciun
quinquaginta, id est unum, duo, quatuor, quinque, octo, decem, viginti. Pars numer
dicitur que in se vel in alia multiplicata illum efficit. Partes autem quadragenarii, qu
numeravimus, faciunt quinquaginta. Quinquagenarius significat quietem et de labor

45 vie venitur ad quietem patrie, quod notatur in hoc quod partes quadragenarii faciun
quinquaginta.

1-3 Cf. Cic. *Inv.* 2.53.159; Petr. Lomb. *Sent.* 3.36   7-9 Cf. Petr. Lomb. *Sent.* 4.44.3
4.49.1   18-20 Cf. Raban. M. *In Iud.* 2.4; Garn. S. Vict. *Greg.* 15.3   20-21 Cf. Mt
20.1-16   22 Cf. Pap. *Glossar.* s.v.   29 Cf. Ex. 31.18   29-31 Cf. Ex. 34.1-9   35 3 Rg. 19.

Ieiunavit Christus in eodem numero dierum et nostrum ieiunium suo ieiunio consecravit, sicut nostrum baptismum suo baptismo sanctificavit. Hoc ieiunium quadragesimale institutum est ad pugnam contra vicia ut impugnetur diabolus et expugnetur, quia aliis forte temporibus expugnavit. Videns autem Sathanas quod contra ipsum bella parantur sumit tela ut impugnet fidelem et vincat. Arma eius sunt septem capitalia crimina: ira, invidia, luxuria, accidia, castrimargia, id est gulositas, philargiria, id est avaritia, cenodoxia, id est vana gloria. Attendens ecclesia astutias diaboli, qui fortius impugnat, cum fortius se tuetur fidelis, contra illa septem vitia instituit septem /160v/ remedia in hoc tempore. Contra iram genuum flexionem, hec enim movet ad indulgentiam et etiam ad lacrimas non solum genua flectentem set alium tibi offensum. Dicunt fisici quod fetus in utero habet genua compressa in fossis oculorum. Unde et quasi quedam naturalis familiaritas est inter oculos et genua. Ex hoc apparet quod genuum flexio mitigat iram. Contra invidiam est inclinatio capitis in fine misse. Invidus enim alterius macrescit rebus opimis, quasi dicat qui capud inclinat ne rem alienam videat et invideat. Compescitur quoque luxuria per abstinentiam, quia *sine Cerere et Baco friget Venus,* set preter hoc dicit propheta: *Egrediatur sponsus de cubili suo, et sponsa de thalamo suo.* Accidia est tristicia mentis procedens de dampno temporali et vicina est desperationi. Unde dicitur accidia, id est ad casum, id est iuxta casum; hec tollit affectum orandi, legendi, et omne opus bonum faciendi. Contra hanc dominus papa stationem facit singulis diebus in tempore illo, et alie ecclesie certis diebus. Contra gulam est abstinentia evidens in illo tempore que valet contra luxuriam, sicut dictum est. Contra philargiriam, id est avaritiam, dominus papa facit elemosinam sollempnem in salubrio capitis ieiunii et sabbato ante ramos palmarum monens nos ut ad eandem accendamur. Sane elemosina plurimum valet contra peccatum. Dicit Thobias filio suo: Fili, da elemosinam; si multum tibi est, multum da; si exiguum, exiguum da. Dominus ait in evangelio: *Date elemosinam, et omnia munda sunt vobis.* Set sicut in caritate ordo diligendi servandus est ut primo diligat Deum, postea quod tu ipse es, tercio quod iuxta te est, id est proximum, quarto quod infra te est, id est corpus tuum. Ita in elemosina danda ordo servandus est ut prius des tibi, postea proximo, unde *miserere anime tue placens Deo.* Daniel dixit Nabugodonozor: *Redime peccata tua elemosinis.* Item: Sicut *aqua extinguit ignem,* ita *elemosina* extinguit *peccatum.* Item apostolus: *Si esurierit inimicus tuus, ciba illum* et cetera. Item in Ysaya: *Frange esurienti panem tuum* et cetera. Item contra synodoxiam et superbiam dantur cineres super capita ut recordemur humilitatem

originis nostre. Cura finem quadragesime, id est in die cene, abluuntur
pedes etiam a prelatis; in his duobus apparet humilitas ut in hoc
sancto tempore superbia retundatur.

UTI DIGNE PASCHALIA CAPIAMUS SACRAMENTA. Hoc
5 ieiunium institutum est ab ecclesia ante pascha ut castigato corpore
emendata anima ad sanctam communionem digne accedat Christianus.

18. AUDI, BENIGNE CONDITOR, NOSTRAS PRECES
CUM FLETIBUS. Audi cum effectu ut qui misericordiam petit
misericordiam consequatur. IN HOC SACRO IEIUNIO FUSAS
10 QUADRAGENARIO.

SCRUTATOR ALME CORDIUM. /161r/ Unde legitur: *Scrutans
corda et renes,* id est quis quisque cogitet et quid quemque delectet.
Et in psalmo: *Dominus scit cogitationes hominum.* Et apostolus ad
Hebreos: *Omnia nuda et aperta sunt oculis eius.*

15 INFIRMA TU SCIS VIRUM. *Quia caro* sumus *vadens et non
rediens.* Et Iob: *Memento, queso, quod sicut lutum feceris me.* Et
idem alibi: *Homo natus de muliere,* id est de infirmitate, *repletur
multis miseriis.* Et post pauca: *Et dignum ducis super huiuscemodi*
et cetera.

20 AD TE REVERSIS EXHIBE REMISSIONIS GRATIAM, relicto
diabolo, contempto mundo. Ad te revertimur, quem misericordem
novimus, qui non vis mortem peccatoris set vitam ut per te, qui vita
es, vitam habeamus.

MULTUM QUIDEM PECCAVIMUS, SET PARCE CONFIT-
25 ENTIBUS; AD LAUDEM TUI NOMINIS CONFER MEDELAM
LANGUIDIS. Ex curatione languidi medicus commendatur. TUI
NOMINIS, id est huius nominis, Iesus, quod interpretatur salvator;
laudatur nomen, laudatur res nominis, cum is salvat qui salvator
dicitur.

30 SIC CORPUS EXTRA CONTERI DONA PER ABSTINEN-
TIAM IEIUNET UT MENS SOBRIA AB OMNI LABE CRIMI-
NUM. Planum est.

19. HYMNUM DICAMUS DOMINO et cetera. Tota littera
huius ymni ita plana est quod superfluum esset in eius expositione
35 commorari; ad alia properemus que fructuosius laborem exigunt
diligentem.

20. CRUX FIDELIS, genitivi casus si placet, id est hominis vel
populi Christiani, vel nominativi propter fidem passionis, vel FIDELIS
dicitur quia fideliter servat eos qui pure et devote eam adorant in
40 honore crucifixi.

INTER OMNES ARBOR UNA, id est sola nobilis, quia eam
nobilitavit qui in ea pependit.

4-5 Cf. Petr. Lomb. *Sent.* 4.12.6   11-12 Ps. 7.10; cf. 1 Par. 28.9   13 Ps. 93.11   14
Hbr. 4.13   15-16 Ps. 77.39   16 Iob 10.9   17-19 Iob 14.1-3   27-29 Cf. Sir. 46.1-2

NULLA SILVA TALEM PROFERT FRONDE, FLORE, GER-
MINE; idem vocat frondem, florem et germen, id est Christum.
DULCE LIGNUM, DULCES CLAVOS. Quod esibile est et
dulce libentius comeditur; et nos ex affectuosa dulcedine debemus
et lignum et clavos sanctos venerari. Vel dulce, id est amabile, quod 5
est dignum amari.
DULCE PONDUS SUSTINENS, id est corpus Christi, quod
dulce est omnibus credentibus in eum.
FLECTE RAMOS, ARBOR ALTA, TENSA LAXA VISCERA.
Verba ista et ea que sequuntur edita fuerunt ex devotissima affectione 10
quam habuit compositor, et nos similiter habere debemus erga
pacientem. Dolere enim possumus de passione eius propter ipsius
dolorem. Unde ipse per Ieremiam: *O vos omnes qui transitis per viam,
attendite et videte si est dolor sicut dolor meus,* quasi condolete michi
dolenti. Inde est quod loquitur ad lignum insensatum tamquam ad 15
rem rationalem. Nec in expositione verborum volumus immorari, quia
in eorum prolatione potius attendenda est dulcis mentis affectio quam
expositio litteralis.

21. VEXILLA REGIS PRODEUNT, FULGET CRUCIS
MYSTERIUM. In pugna temporali vexillum portatur ut populus 20
pugnans videns illud erectum ad ipsum conveniat et fortius hostes
impugnent. Crux Christi vexillum Christianorum est; si ei adhereant,
si ab ea non recedant, si illum qui in ea pependit adorent et diligant,
fortiter pugnabunt. Inde est quod in processionibus /161v/ ecclesiasticis crux precedit ut eam videns diabolus fugiat et a collegio quod 25
adorat Christum recedat. Ipse enim hoc signum plurimum timet, quia
per Christum victus est; dicatur ergo VEXILLA REGIS PRODEUNT.
REGIS, id est Christi; PRODEUNT, id est puplice apparent.
FULGET CRUCIS MYSTERIUM. Mysterium istud est red-
emptio nostra quod occultum est infidelibus. Unde apostolus: *Nos* 30
predicamus Iesum crucifixum, Iudeis quidem scandalum, gentibus
autem stulticiam. Ubi crux Christi est ibi fulgor fidei est. Ubi fides
crucis, id est passionis, non est ibi tenebre peccati sunt. Dicatur ergo
FULGET scilicet per fidem et opera fidei.
QUO CARNE CARNIS CONDITOR SUSPENSUS EST 35
PATIBULO. QUO, id est propter quod; CARNE, id est secundum
carnem.

---

19 REGIS *suprascr. gl.* γ id est trihumphi regis
35 QUO *marg. gl.* β id est pro quo mysterio explendo 40
37 carnem *marg. gl.* γ Aliter: FULGET CRUCIS MYSTERIUM, id est crux in
qua procuratum est misterium redemptionis nostre, fulget per honorem sibi exhibitum.
Ante passionem Domini crux ignominiosa, erat sed tactu carnis sue facta est gloriosa,
nunc enim honoratur et adoratur. QUO, id est qua cruce, et cetera.

13-14 Lam. 1.12   29 Cf. Petr. Lomb. *Sent.* 3.19.5   30-32 1 Cor. 1.23

QUO VULNERATUS INSUPER MUCRONE DIRE LANCEE
UT NOS LAVARET CRIMINE MANAVIT UNDA SANGUINIS.
Alia littera: SANGUINE, id est cum sanguine, quia ex vulnere lateris
exierunt sanguis et aqua – *sanguis* scilicet *redemptionis et aqua*
ablutionis – quia per sanguinem redempti sumus et per aquam
baptismatis a peccato mundamur. In sacramento quoque altaris aqua
apponitur cum vino – vinum sanguis Christi, aqua populus – quia nec
Christus sine populo nec populus sine Christo esse debet.
      ARBOR DECORA, FULGIDA. Hoc dicit propter honorem qui
ei exhibetur, vel quia ipsa causa est decoris et fulgoris nostri.
      ORNATA REGIS PURPURA, id est purpureo sanguine Christi,
vel purpuram dicit ipsum corpus Christi factum rubicundum ex cruore
effuso, vel quia purpura nobile vestimentum est. Purpura quoque
indumentum regale est; Christus autem indumentum fidelium est.
Unde apostolus: Quotquot *baptizati estis Christum induistis.*
      ELECTA DIGNO STIPITE TAM SANCTA MEMBRA TAN-
GERE, id est pro stipite, BEATA CUIUS BRACHIIS SECLI PEP-
ENDIT PRECIUM, id est Christus, STATERA FACTA CORPORIS.
Statera quoddam pondus est in quo ponuntur ea de quorum pondere
dubitatur ut comprehendatur quantitas eorum per stateram. Itaque
stateram vocat lignum crucis in quo positum est corpus Christi, et
ex hoc deprehensum est pondus eius, quia inde apparuit pondus et
precium redemptionis nostre, pondere enim cognito manifestius est
rei precium.
      Aliter: STATERA FACTA CORPORIS. In statera pendet quod
ponderandum est. Christus autem pependit in cruce, et in pondere
illo precium redemptionis nostre deprehensum est a Patre legitimum
et sufficiens ad liberationem nostram.
      PREDAMQUE TULIT TARTARI, id est electos qui erant in
inferno. Hoc dicit propter crucifixum qui hoc fecit.
      O CRUX, AVE, SPES UNICA. Hoc dicit propter illum qui
pependit in ea, in quo est spes unica nostra. In ligno crucis etiam
spes nostra est unde armamur nos illo signo contra diabolum. Christo
quoque dicimus: Per signum crucis libera nos, Deus noster.
      O REDEMPTORUM GLORIA. Unde apostolus: *Michi absit*
gloriari nisi in cruce Domini nostri Iesu Christi.
      AUGE PIIS IUSTICIAM REISQUE DONA VENIAM. Hec
intelligenda sunt propter fidem habitam de crucifixo.

---

2 UNDA *marg. gl. β* Quinque fuerunt effusiones sanguinis Domini: prima in
circumcisione, secunda in sudore, tercia in flagellatione, quarta in crucifixione, quinta
in lanceatione. In cruce etiam quinque fuerunt et ideo forte dicit in sequenti littera
PURPURA, id est purpureo corpore, propter habundantiam cruoris.

3-4 Cf. Io. 19.34   4-5 Petr. Lomb. *Sent.* 4.8.2   7-8 Cf. Petr. Lomb. *Sent.*
4.11.5-7   14-15 Petr. Lomb. *Sent.* 3.6.5; cf. Isid. *Orig.* 16.25.3   15 Gal. 3.27; cf. Rm.
6.3   18 Cf. Alan. Ins. *Dist.* s.v.   35-36 Gal. 6.14   39-42 Cf. Ber. Clar. *Vit. Myst.*

22.   /162r/ MAGNUM SALUTIS GAUDIUM; suple est. Vel
letetur, id est pronuntiet letando; simile in psalmo: *Exultabit lingua
mea,* id est exultando pronuntiabit, et cetera.
    LETETUR OMNE SECULUM, id est omnis homo; IESUS,
REDEMPTOR GENTIUM, SANAVIT ORBEM LANGUIDUM, id   5
est hominem qui est microschomus, id est minor mundus. In hoc
sensu ponitur in psalmo: *Etenim correxit orbem, qui non commo-
vebitur.* LANGUIDUM scilicet peccato, quod facit animam languere.
Gravior enim est infirmitas anime quam carnis et difficilius curatur.
Est enim homo *vadens et non rediens* – vadens per se ad malum set   10
non rediens per se a malo.
    SEX ANTE PASCHE FERIAS ADVENIT IN BETHANIA,
UBI PIE POST TRIDUUM RESUSCITAVIT LAZARUM, non tunc
set prius, post triduum, quia quatriduanum mortuum.
    NARDI MARIA PISTICI SUMPSIT LIBRAM MOX OBTIMI.   15
Nardum dicit quoddam unguentum pistici, id est fidelis, non corrupti;
pistis Grece, *fides* Latine.
    UNXIT BEATOS DOMINI PEDES RIGANDO LACRIMIS.
Ungit pedes Domini qui vere credit humanitatem eius. Ungit pedes
Domini qui dat elemosinam pauperibus Christi.   20
    POST HEC IUGALIS ASINE IESUS SUPERNUS ARBITER,
id est iudex, vel arbiter, id est compositor. Nomen enim arbitri duobus
modis accipitur, est enim arbiter cuius arbitrium fit ad instar iuditii.
Est arbiter, id est compositor, qui scilicet inter partes componit et
ad reconciliationem reducit. Talis arbiter fuit Christus, et ex hoc   25
dicitur *unus mediator Dei et hominum homo Christus Iesus, id est
per hominem, quasi in medio arbiter ad componendam pacem,* et
ad reconciliandum hominem Deo. Hic est arbiter quem Iob desiderat:
Utinam nobis esset arbiter.
    PULLO SEDEBAT INCLITAM PERGEBAT IHEROSOLIMAM.   30
Asina significat plebem Iudaicam iugo legis pressam. Pullus significat
populum gentilem, qui libere et pro voluntate ferebatur ad culturam
deorum. Super utrumque iumentum sedit propter mysterium – super
asinam sedit quia plures de Iudeis ad fidem eius conversi sunt; super
gentilem populum sedit ad fidem scilicet conversum.   35
    O QUAM STUPENDA PIETAS, MIRA DEI CLEMENTIA,
SESSOR ASELLI FIERI DIGNATUR AUCTOR SECULI. Vide
humilitatem Christi; non quesivit palefridum, non sellam deauratam,
non phaleras. Contemptus fuit asello qui in potestate sua habet

---

17 Latine *marg. gl.* ε Vel pistici, id est mixti, confecti scilicet ex piscis et ex foliis   40
nardi, quod preciosius esse dicitur – pistim Grece, mixtum Latine. Unde piscis, piscidis.
Beda.

2-3 Ps. 50.16   5-6 Cf. Honor. Aug. *Sacram.* 50   7-8 Ps. 95.10   8-9 Cf. Aug.
In Psalm. 37.3; Petr. Lomb. *Sent.* 4.17.1, 4.21.2   10 Ps. 77.39   12-13 Cf. Io. 12.1   15
Cf. Mt. 26.7; Mc. 14.3; Io. 12.3   16-17 Alan. Ins. *Dist.* s.v.   21 Cf. Mt. 21.7-11; Mc.
11.7-10; Lc. 19.35-38; Io. 12.14-15   26-28 1 Tim. 2.5   26-29 Petr. Lomb. *Sent.* 3.19.6   29
Cf. Iob 16.22   30-32 Cf. Raban. M. *Alleg.* s.v.; Pasch. Radb. *In Mat.* 9.21   36-39 Cf.
Bern. Clar. *Ep.* 104   40-42 Cf. Ord. Vital. *Hist.* 1

omnem equitaturam. Hoc attendant vicarii Iesu Christi, quorum dignitates generant fastus et superfluitates evidentes.

OLIM PROPHETA PRESCIUS PREDIXIT ALMO SPIRITU: *EXULTA,* DICENS, *FILIA SYON, SATIS ET IUBILA.* Hec verba
5 leguntur in Zacharia: *Exulta satis, filia Syon, iubila, filia Ierosalem. Ecce rex tuus veniet tibi iustus et salvator, ipse pauper et ascendens super asinum et super pullum, filium asine.*

REX ECCE TUUS HUMILIS, NOLI TIMERE, VENIET PULLO IUGALIS PRESIDENS, TIBI BENIGNUS, PACIENS.
10 RAMOS VIRENTES SUMPSERAT PALMA RECISOS TENERA, TURBA PROCESSIT OBVIAM REGI PERHENNI PLURIMA. Planus est sensus.

CETUS SEQUENS ET PREVIUS SANCTOQUE PLENUS SPIRITU CLAMABAT IN ALTISSIMIS: *OSANNA DAVID FILIO.*
15 Sensus constructionis talis est: CLAMABAT FILIO DAVID, id est Christo, qui secundum carnem /162v/ de David processit *osanna in altissimis,* id est salva obsecro in celis. Qui precedebant significant fideles qui fuerunt ante adventum Christi; qui sequebantur illos qui fuerunt tempore suo et postea successerunt. Illi qui sequebantur
20 manifestius videbant Christum illis qui precedebant, et apertior est fides de perteritis quam de futuris. Hic est botrus quem in exploratione terre Canaan duo portaverunt invecte; qui sequebatur videbat botrum, qui precedebat non videbat.

QUIDAM SOLUTIS TROPHIIS VIAM TEGEBANT VESTI-
25 BUS, quibus se exuerant, et nos religiosi dicamus: *Exspoliam me tunica mea quomodo induar illa.* Ionathas, filius Saul, *exspoliavit se tunica* sua *et dedit eam David.* Hoc facit secularis quando intrat religionem et venit ad Christum. Vestes iste significant virtutes, que sunt indumenta animarum. Unde in psalmo: *Sacerdotes tui induantur*
30 *iusticiam.* Et in apocalipsi: *Beatus qui custodit vestimenta sua et* cetera.

PLURESQUE FLORE CANDIDO ITER PARABANT DOMINO. Est flos lilii qui candorem significat virginitatis. Est flos rose qui ruborem significat martyrii vel ignem caritatis. Est flos viole qui
35 significat humilitatem. Hiis et aliis paremus viam Domino. Rami olivarum significant misericordiam; elate palmarum latitudinem caritatis, ex qua procedit victoria.

AD CUIUS OMNIS CIVITAS COMMOTA INGRESSUM TREMUIT. HEBREA PROLES AUREA LAUDES FEREBAT
40 DEBITAS. Aurea scilicet que ab auro sapientie dicta est, que facit honorare Deum.

1-2 Cf. Bern. Clar. *Ep.* 104   3-7 Za. 9.9; cf. Is. 62.11; Mt. 21.5   13-14 Mt. 21.9; cf. Mc. 11.9-10; Lc. 19.38; Io. 12.13   21-22 Cf. Nm. 13.24-25   25-26 Ct. 5.3   26-27 1 Sm. 18.4   29-30 Ps. 131.9; cf. 2 Par. 6.41   30 Apc. 16.15   32-34 Cf. Bern. Clar. *Vit. Myst.* 17, 18, 34, 35   35-37 Cf. Is. 40.3; Mt. 3.3; Mc. 1.3, Lc. 3.4; Io. 1.23; Raban. M. *Alleg.* s.v.; Alan. Ins. *Dist.* s.v.

NOS ERGO TANTO IUDICI CURRAMUS OMNES OBVIAM cursu scilicet bono. De quo apostolus: *Sic currite ut comprehendatis.* PALMAS GERENTES, id est virtutes, ex quibus procedit cum bonis operibus victoria contra diabolum, GLORIAM MENTE CANAMUS SOBRIA. 5

23. IAM SURGIT HORA TERCIA, QUA CHRISTUS ASCENDIT CRUCEM. Unus evangelista dicit quod Christus crucifixus est *tercia hora;* alius, *sexta.* Set hec diversitas procedit quia crucifixus est inter terciam et sextam, vel quia crucifixus fuit hora tercia clamoribus Iudeorum dicentium: *Crucifige, crucifige eum;* sexta 10 manibus gentilium.
NIL INSOLENS MENS COGITET. Insolentia proprie superbia est. *Insolens* secundum Papiam dicitur *superbus, importunus, moribus non conveniens.* Hic autem per speciem intelligit genus ut sit sensus: NIL INSOLENS MENS COGITET, id est nil pravum. 15
INTENDAT AFFECTUM PRECIS. Cum intenditur caritas, intenditur affectio precum, quia penes caritatem est omne meritum nec sine caritate est meritum.
QUI CORDE CHRISTUM SUSCIPIT INNOXIUM SENSUM GERIT, quia non est conventio Christi ad Belial. Nemo *potest servire* 20 *Deo et mammone.* Non bene conveniunt nec in una sede morantur virtus et vitium.
VOTISQUE PRESTAT SEDULIS SANCTUM MERERI SPIRITUM. PRESTAT, id est *exhibet* vel *perseverat,* utramque significationem ponit Papias. MERERI AMPLIUS SANCTUM 25 SPIRITUM quia *habenti dabitur et habundabit.* /163r/ De hoc satis dictum est in quodam hymno supra. Secundum Papiam hoc verbum *prestat* multas habet acceptiones, set secundum opinionem nostram in hoc sensu accipitur in loco isto.
HEC HORA QUE FINEM DEDIT DIRO VETERNO 30 CRIMINI, id est quod veteres facit. Hec fuit sententia Dei quod nullus intraret in paradisum nisi per illum qui tante esset obedientie et humilitatis, quanta fuit inobedientia Ade et superbia; venit Christus in quo princeps mundi huius nichil invenit. Maior fuit eius obedientia et humilitas quam inobedientia Ade et superbia. Deletum est cyro- 35 graphum et affixum cruci. Unde apostolus: *Cum mortui essetis* peccatis *et preputio carnis vestre, vivificavit* vos *cum* Christo *delens cyrographum quod erat* vobis *contrarium, et tulit* illud *de medio affigens cruci.* Hoc cyrographum deletum fuit quando spoliatus fuit infernus et aperta ianua paradysi. Dicatur ergo HEC est HORA QUE 40

27 supra *suprascr. gl.* γ scilicet INTENDE QUI REGIS ISRAEL

2 1 Cor. 9.24   7-11 Cf. Petr. Com. *Serm.* 11   8 Cf. Mc. 15.25   8 Cf. Mt. 27.45; Lc. 23.44   8-9 Cf. Mc. 15.25, 33   10 Lc. 23.21; Io. 19.6; cf. Mc. 15.13-14; Io. 19.5   13-14 Pap. *Glossar. s.v.*   20-21 Cf. Mt. 6.24; Lc. 16.13   24-25 Pap. *Glossar. s.v.*   26 Mt. 25.29; Lc. 19.26   27-29 Cf. Pap. *Glossar. s.v.*   31-33 Cf. Petr. Lomb. *Sent.* 3.18.5, 3.19.5   34-35 Cf. Io. 14.30   36-37 Col. 2.13-14   38 Col. 2.14

FINEM DEDIT CRIMINI, id est peccato Ade, quod meruerat ut omnes descenderent ad inferos, et nullus intraret celum donec veniret redemptio.

MORTISQUE REGNUM DILUIT, id est diaboli, cuius regnum iam pro maxima parte deletum est et in resurrectione omnino delebitur. De hoc plenius dictum est in hymno, HIC EST DIES VERUS DEI et cetera. Vel REGNUM MORTIS, id est mortalis peccati. Unde apostolus: *Regnavit mors ab Adam usque ad Moysen,* id est usque ad legem. Lex enim dedit cognicionem peccati, peccatum ostendebat, set non iustificabat, unde successit gratia que peccata monstrat et iustificat. Post mortem Christi multa remedia habemus que ante non erant aut occulta erant. Vel REGNUM MORTIS, id est mortis temporalis, spe resurrectionis quando novissima destruetur mors.

CULPAMQUE AB EVO SUSTULIT. Seculum dicitur etas, evum aliquod spacium temporis. Unde aliqui dicuntur quo evi qui scilicet vixerunt eodem spatio temporis. Set hic per speciem accipitur genus, id est per evum tempus. Dicatur ergo SUSTULIT, id est abstulit, CULPAM que regnaverat a principio temporis, sicut apostolus dicit in verbis premissis, vel AB EVO, id est a tempore passionis. Per culpam quoque possumus intelligere penam pro culpa irrogatam.

HINC IAM BEATA TEMPORA, id est tempora gratie, CHRISTI CEPERE GRATIAM; FIDE REPLEVIT VERITAS, id est Christus, TOTUM PER ORBEM ECCLESIAS, quia gentilitas ad fidem conversa est, et cecitas contigit in Israel ut plenitudo gentium intraret.

CELSO TRIUMPHI VERTICE, id est crucis, in qua triumphavit de diabolo, MATRI LOQUEBATUR SUE: EN FILIUS, MATER, TUUS; APOSTOLE, EN MATER TUA. De Iohanne evangelista dicit, cui virgini matrem virginem commendavit.

PRETENTA NUPTE FEDERA ALTO DOCET MYSTERIO NE VIRGINIS PARTUS SACER MATRIS PUDOREM LEDERET. Filius Dei, qui summa sapientia est, pretendit, id est opposuit diabolo et membris eius, id est Iudeis, coniugium matris sue ne sponso carens et filium habens secundum legem pu/163v/niretur et diffamaretur. In quo quidem eius virginitas lederetur.

---

21 irrogatam *marg. gl.* β^i Ysidorus: *Evum est etas perpetua cuius nec initium nec extremum noscitur, quod Greci vocant aionas, quod apud eos aliquando pro seculo, aliquando pro eterno ponitur. Unde apud Latinos est derivatum. Secula generationibus constant, et inde secula dicta quod sequantur. Abeuntibus enim aliis alia succedunt. Hunc quidam quinquagesimum dicunt, quem Hebrei iubileum vocant. Etas plerumque dicitur pro uno anno, ut in annalibus, et pro septem, ut hominis, et pro centum, et pro quovis tempore. Unde et etas temporalis quod de multis seculis instruitur. Et dicitur etas, quasi evitas, id est similitudo evi.* Item: *Est etas hominis, ut infantia; est etas mundi, et he comprehenduntur sub senario.*

---

8 Rm. 5.14   9-11 Cf. Petr. Lomb. *Sent.* 3.40.2-3   16 Cf. Rm. 5.14   28-29 Cf. Io. 19.26-27   37-45 Isid. *Orig.* 5.38.1-4; cf. Isid. *Orig.* 5.38.5, 11.2.

---

38 aionas: conas, *cod.*   42 in annalibus: animalibus, *cod.*

CUI FIDEM CELESTIBUS IESUS DEDIT MIRACULIS, scilicet cui rei vel cui virginitati per myracula que fecit Christus potuit credi quod ipse erat Deus. Et ex hoc nutabat opinio diaboli, quia ex miraculis que faciebat presumebat illum esse Deum, cum videret illum pacientem famem, sitem et huiusmodi, putabat illum esse purum hominem. Set miracula fortiora erant ut ex hiis credendus esset Deus et oportebat ut Deus nasceretur de virgine, non de libidine. NON CREDIDIT PLEBS IMPIA, id est Iudaica, QUI CRED-IDIT et perseveravit SALVUS ERIT. NOS CREDIMUS NATUM DEUM PARTUMQUE VIRGINIS SACRE, PECCATA QUI MUNDI TULIT AD DEXTERAM SEDENS PATRIS, cui dixit Pater: *Sede a dextris meis,* id est conregna et quiesce in pocioribus bonis meis.

24. HIC EST DIES VERUS DEI. Diem intelligit non illum qui illuminatur a sole visibili, set diem verum — Filium Dei. Qui de se dicit: *Ego sum lux mundi.* Item: *Erat lux vera que illuminat* et cetera. Ipse dicit in evangelio: *Nonne duodecim sunt hore diei,* et *qui ambulat in die non offendit.* Se dicit diem, duodecim horas duodecim apostolos. Et in psalmo: *Dies diei eructat verbum,* id est Christus discipulis verbum incarnatum. SANCTO SERENUS LUMINE, id est clarus et lucidus sancto lumine. In se lumen est et illuminat corda tenebrosa expellens tenebras et ingerens lumen fidei et gratie spiritualis. QUO DILUIT SANGUIS SACER PROBROSA MUNDI CRIMINA. QUO, id est per quem, vel de quo, id est de cuius corpore, effusus SANGUIS SACER DILUIT CRIMINA MUNDI PROBROSA, id est plena probris. Passio Christi redemit nos *a diabolo, a peccato, a pena.* A diabolo, quia malitia diaboli non habet tantum effectum post mortem Christi quantum habuit ante. Per mortem Christi ligatus dicitur, solvendus post mille annos, id est tempore antichristi, quia eius nequitia tunc tantum effectum habebit ut etiam moveantur electi, si potest fieri. *Petrus ante mortem Christi voce ancille territus negavit, post mortem ante reges et presides ductus non cessit.* A peccato nos liberavit, quia iuxta apostolum baptismus purgat peccata nec habet gemitum nec planctum. Fidem passionis Christi tenemus, caritatem eius, ex qua tradidit semetipsum pro nobis, humilitatem, et pacientiam. Consideramus et quia advocatus est apud Patrem pro peccatoribus; hec et multa alia humiliant nos et flectunt ut resistamus peccato. A pena liberavit, ab eterna enim liberavit electos suos. Temporalis quoque pena per pacientiam minus gravat quosdam,

5

10

15

20

25

30

35

40

2-3 Cf. Mt. 4.1-11; Mc. 1.12-13; Lc. 4.1-13   12 Ps. 109.1; Mt. 22.44; Mc. 12.36; Lc. 20.42; Act. 2.34; Hbr. 1.13   14-20 Cf. Alan. Ins. *Dist.* s.v.   16 Io. 8.12; cf. 1 Io. 1.5   16-18 Io. 1.9; cf. Io. 3.19   17-18 Io. 11.9   19 Ps. 18.3   26-40 Petr. Lomb. *Sent.* 3.19.1-3   32-34 Cf. Mt. 26.69-75; Mc. 14.66-72; Lc. 22.55-62; Io. 18.25-27   34-35 Cf. Act. 4.5-22, 12.1-11   34-35 Cf. Rm. 6.1-4; 8.22-23; Gal. 3.27; Eph. 5.26; Tit. 3.3-7; 1 Pt. 3.18-22

sicut videmus in martyribus et sanctis confessoribus. Inde est quod
dicit SANGUIS SACER DILUIT CRIMINA MUNDI. Cum enim
fides delet peccata, non imputantur ad penam, quod potentius fit
post mortem Christi quam ante. Et sic ipsa mors liberat nos a diabolo,
5   culpa et pena.

     FIDEM REFUNDENS PERDITIS. Hoc patet in apostolis, qui
fidem perdiderunt in passione Christi. Unde duo discipuli euntes in
Emaus, Domino his aparente, dixerunt: *Nos sperabamus* /164r/ *quod
ipse esset redempturus Israel.* Set post resurrectionem eos ad fidem
10   revocavit et in adventu Spiritus Sancti confirmavit et ita decoxit ut
non cederent persecutionibus. Penitentibus quoque vere fidem res-
tituit et infidelibus ad ipsum venientibus fidem tribuit.

     CECOSQUE VISU ILLUMINANS, cecos scilicet sive oculo
interiori sive oculo exteriori. Saulum illuminavit interius, cecum natum
15   illuminavit exterius.

     QUEM NON GRAVI SOLUIT METU LATRONIS ABSO-
LUTIO, id est absoluit a metu gehenne, eum videat tam brevem
confessionem meruisse paradysum.

     QUI PREMIUM MUTANS CRUCE. Prius meruerat infernum,
20   set post contricionem habitam in cruce et confessionem meruit celum.

     IESUM BREVI QUESIVIT FIDE, id est fide brevis temporis
quesivit et invenit, quesivit quia sicut debuit. Unde Dominus per
Iheremiam: *Queretis me et invenietis, cum quesieritis me toto corde.*
BREVI FIDE, id est fide brevis temporis.

25   IUSTOSQUE PREVIO GRADU PREVENIT IN REGNUM
DEI. Cum enim dixisset: *Memento mei, Domine, cum veneris in
regnum tuum,* audivit a Domino: *Hodie mecum eris in paradyso,* id
est hodie mecum eris cum quo esse est esse in paradiso.

     OPUS STUPENT ET ANGELI PENAM VIDENTES COR-
30   PORIS. Stupent, id est admirantur, considerantes largam misericordiam Dei et subitam ac brevem conversionem latronis, qui subito
de pena venit ad premium.

     CHRISTOQUE ADHERENTEM REUM, scilicet prius reum,
VITAM BEATAM CARPERE, id est accipere, MISTERIUM MIR-
35   ABILE UT ABLUAT MUNDI LUEM. Hoc statim exponit dicens
PECCATA TOLLAT OMNIUM CARNIS VITIA MUNDANS
CARO, passio scilicet Christi in carne. Notandum quod spiritus
committit quedam vitia secundum carnem, ut fornicationem, adul-
teria, gulositatem et huiusmodi: quedam secundum se, ut est superbia,

---

40   15 illuminavit *marg. gl. β* Cecatus est ut mutaretur. Mutatus est ut mitteretur.
Missus est ut qualia fecerat pro errore talia pateretur pro veritate.
      19 PREMIUM *marg. gl. β* Christus *latronem de cruce in paradysum* tulit, et nequis
aliquando seram confessionem putaret, *fecit homicidii penam martyrium.* Ieronimus.

---

     1 Petr. Lomb. *Sent.* 3.19.1-3   8-9 Lc. 24.21   10-12 Cf. Petr. Lomb. *Sent.* 2.25.6
14 Cf. Act. 9.17-18; Io. 9.1-41   16-17 Cf. Lc. 23.40-43; Petr. Lomb. *Sent.* 4.4.4, 4.20.3;
Hugo S. Vict. *Latro.*   23 Ier. 29.13   25-28 Lc. 23.42-43   27 Cf. Phil. 1.23; Aug. *Trin.*
13.4.7; Petr. Lomb. *Sent.* 4.33.2, 4.49.1   36-38 Cf. Petr. Lomb. *Sent.* 2.42.5-8, 3.15.1,
3.17.2, 4.39.4   42-43 Hieron. *In Is.* 15.55.12-13, *Epist.* 58.1

invidia et multa alia. Set quoniam utraque purgata sunt per passionem Christi, ideo per carnem intellige totum hominem. Eodem modo exponitur: *Verbum factum est caro,* id est homo. Vel quod dicit MUNDANS CARO, accipe de carne Christi, que sumitur in sacramento, que si digne sumatur, purgat venialia peccata, si non assint mortalia, et auget gratiam. Set prior expositio melior est.

QUID NUNC POTEST SUBLIMIUS esse scilicet UT CULPA QUERAT GRATIAM, id est peccator remissionem peccatorum per contricionem et confessionem, in qua confertur gratia.

METUMQUE SOLVAT CARITAS, id est metum mortis eterne vel metum, id est servilem timorem, quem excludit caritas, quia servilis timor timet penam nec amat iusticiam. Quare? Quia iusticia irrogat penam.

REDDATQUE MORS scilicet Christi VITAM NOVAM. HAMUM SIBI MORS DEVORET. MORS, id est diabolus. De quo Dominus: *O mors, ero mors tua,* id est O diabole. Et in psalmo: *Mors depascet eos,* id est diabolus de penis ad penas ducet. Piscator materialis escam ponit in hamo qua tegitur hamus; piscis glutit escam et capitur hamo. /164v/ Ita contigit in diabolo, qui per membra sua fudit sanguinem Christi, occidit carnem, et glutivit escam humanitatis et captus est hamo divinitatis. Unde ait Dominus ad Iob: *An extrahere poteris Leviatan hamo,* quasi tu non, set ego.

SUISQUE SE NODIS LIGET. Diabolus incidit in foveam quam fecit. Ligatus est laqueo quem tetendit, putavit se detinere Christum in morte. Set resurrexit tercia die. Ante resurrectionem tamen descendit in anima ad inferos, spoliavit infernum, et inde extraxit suos electos claudens ianuam inferni electis et eis aperiens portam paradisi. Minorem quoque effectum habet malitia eius post mortem Christi quam ante, sicut supra ostensum est. Ecce manifeste habes quod diabolus ligatus est nodis suis. Ligata est mors ipsa temporalis spe resurrectionis future, quando mors in victoria absorta erit.

MORIATUR VITA OMNIUM, id est Christus. In psalmo legitur: *Quis est homo qui vivet et non videbit mortem?*

RESURGAT VITA OMNIUM, id est Christus, CUM MORS PER OMNES TRANSEAT, secundum verba prophete premissa, OMNES RESURGANT MORTUI, quod fiet in generali resurrectione.

CONSUMPTA MORS ICTU SUO, quo scilicet percussit Christum, in quo diabolus nullum ius habebat, quia semper sine peccato fuit, et peccatum dat potestatem diabolo super hominem. Unde iniuste occidit Christum et ideo in aliis postestatem amisit. Arma tenenti omnia dat qui iusta negat, a simili qui iniusta irrogat.

PERISSE SE SOLAM GEMAT, quod erit quando novissima mors destruetur.

2-3 Io. 1.14; cf. Alan. Ins. *Dist.* s.v. 3-6 Cf. Petr. Lomb. *Sent.* 4.9.2, 4.12.4-6 7-8 Cf. Petr. Lomb. *Sent.* 4.16.1, 4.18.1, 4.20.3 10-13 Cf. Petr. Lomb. *Sent.* 3.34.6-8 14-22 Cf. Tb. 6.2; Raban. M. *Alleg.,* s.v.; Petr. Lomb. *Sent.* 3.19.1; Alan Ins. *Dist.* s.v. 16 Os. 13.14; cf. Alan Ins. *Dist.* s.v. 16-17 Ps. 48.15 21-22 Iob 40.20 28-29 Cf. Petr. Lomb. *Sent.* 3.19.1 32-33 Ps. 88.49 36 Cf. Is. 26.19 38-39 Cf. Aug. *Trin.* 13.11.15, 13.14.18; Petr. Lomb. *Sent.* 3.19.2, 3.20.2-3

25. AD CENAM AGNI PROVIDI ET STOLIS ALBIS CAN-
DIDI POST TRANSITUM MARIS RUBRI CHRISTO CANAMUS
PRINCIPI. Cenam agni vocat altare. De quo ait apostolus: *Altare*
habemus de quo edere non habent qui tabernaculo deserviunt, quia
5 qui indigne sumit iuditium sue dampnationis sumit. Ad hanc cenam
debemus accedere providi, id est providentes saluti nostre, ne indigne
scilicet accipiamus. Dicatur ergo nos providi venientes ad cenam agni,
id est ad sumendum corpus Christi, et stolis albis candidi. Hoc dicit
propter eos qui baptizati fuerunt in salubrio sancto et induti veste
10 candida, quam deposuerunt salubrio, quod dicitur IN ALBIS. Vel
extendatur ad omnes iustos, qui candidi sunt alba veste innocentie.
 POST TRANSITUM MARIS RUBRI CHRISTO CANAMUS
PRINCIPI. Per mare rubrum accipit baptismum consecratum
passione Christi. Per mare rubrum etiam accipitur martyrium. Unde:
15 *Terra apparuit arida.* Et in mari rubro, id est in martyrio, via salutis
est sine impedimento, quia post martyrium statim martyr ascendit
/165r/ ad requiem. Transiit mare rubrum qui de Egypto per baptismum transiit in ecclesiam militantem.
 CUIUS CORPUS SANCTISSIMUM IN ARA CRUCIS TOR-
20 RIDUM, id est tostum ut ponatur nomen pro participio. Unde in
psalmo: *Aruit tamquam testa virtus mea,* id est decoctum ut per
meritum passionis veniret ad gloriam resurrectionis. CRUORE EIUS
ROSEO GUSTANDO VIVIMUS DEO.
 PROTECTI PASCHE VESPERE A DEVASTANTE ANGELO,
25 EREPTI DE DURISSIMO PHARAONIS IMPERIO. Vastantem
angelum dicit vel angelum bonum, qui, sicut legitur in actis apostolorum:
Apparuit Moysi *in rubo.* Vel angelum malum, secundum Augustinum,
cui attribute sunt mortes peccatorum et primitivorum Egypti.
Quantum ad fideles nostros in vespere pasche, id est ultime etatis,
30 erepti fuimus. Per pascha verum, id est Iesum Christum, erepti fuimus
de durissimo pharaonis imperio, id est diaboli, qui pro posse suo
dissipat omnia bona. *Pharao* enim interpretatur *dissipator.*
 IAM PASCHA NOSTRUM CHRISTUS EST, QUI IMMO-
LATUS AGNUS EST. Christus agnus, id est innocens, et pascha
35 nostrum, id est transitus noster, quia per ipsum transimus ad Deum,
de terra ad celum. Pascha Ebreum est et interpretatur transitus.
Pascha autem interdum dicitur agnus immolatus, ut in evangelio: *Ubi*
vis paremus tibi comedere pascha. Et apostolus: *Christus immolatus*
est pascha nostrum. Sequebantur septem dies azimorum, et hii
40 quandoque vocantur pascha, ut in evangelio: *Non introierunt in*
pretorium ne *contaminarentur set* comederent *pascha,* id est mundi
comederent in pascha. Vel azima vocat hic pascha, quia hiis diebus
erat usus eorum. Vespera quoque qua immolabatur agnus dicebatur

---

3-4 Hbr. 13.10; cf. Petr. Lomb. *Sent.* 4.9.2 10 Cf. Petr. Lomb. *Sent.* 4.3.6,
4.4.3 12-14 Cf. Ex. 15.1; Petr. Lomb. *Sent.* 4.8.2; Hugo S. Vict., *Alleg. in V. Test.*
3.1 15 Sap. 19.7 20-21 Ps. 21.16 26 Act. 7.30; cf. Ex. 3.2; Dt. 33.16 28 Cf. Aug.
Trin. 3.9 30-37 Cf. Alan Ins. *Dist.* s.v. 32 Isid. *Orig.* 7.6.43 37-38 Mt. 26.17 38-39
1 Cor. 5.7 40-41 Io. 18.28

pascha. Unde in evangelio: *Post biduum pascha fiet.* Dies tamen tota
precedens horam illam nec pascha dicebatur nec sollempnis erat.
Pascha sic declinatur in genitivo: pasche vel paschatis.
   SINCERITATIS AZIMA CARO EIUS OBLATA EST. In
apostolo legitur: *Epulemur non in fermento veteri nec in fermento*   5
malicie et nequitie, set in azimis sinceritatis et veritatis. Azima – hoc
nomen componitur ab *a*, quod est *sine*, et *zima*, quod est *fermentum.*
Unde azima dicuntur quantum ad litteram sine fermento, quantum
ad spiritualem intelligentiam sine peccati fermento, que scilicet fiunt
in sinceritate et veritate scilicet pura opera bona. Dicatur ergo CARO   10
EIUS OBLATA EST. Sensus huius littere planus est, set constructio
est intricata. Azima enim sinceritatis vocat ipsam carnem Christi,
que azima fuit et sincera, id est pura et sine fermento peccati, significata per azima typica. Itaque cum caro Christi oblata fuit, azima
sinceritatis oblata fuerunt, que sunt ipsa caro Christi. Sic ergo legatur   15
littera. Azima sinceritatis oblata fuerunt suple, quia vel quando caro
Christi oblata fuit, que est azima sinceritatis, id est azima et sincera
/165v/ ab omni corruptione peccati.
   O VERE DIGNA OSTIA, PER QUEM FRACTA SUNT
TARTARA, REDEMPTA PLEBS CAPTIVATA. Prius a diabolo ut   20
esset in servitute extrema. Postea a Deo ut esset in libertate. REDDITA
VITE PREMIA.
   CONSURGIT CHRISTUS TUMULO, VICTOR REDIT DE
BARATRO, TYRANNUM TRUDENS VINCULO. Ad litteram
secundum quosdam qui dicunt quod Sathanas ligatus est in inferno   25
usque ad tempus antichristi; in tempore illo solvetur. Alii dicunt quod
ligatus est quantum ad effectum malitie, set in tempore antichristi
laxabitur iniquitas eius ut pleniorem habeat effectum. ET RES-
ERANS PARADYSUM in ascensione.

   26. CHORUS NOVE IEROSALEM NOVAM MELI DUL-   30
CEDINEM PROMAT, COLENS CUM SOBRIIS PASCHALE
FESTUM GAUDIIS. Novam Ierosalem accipit de novo conversam
ad Christum, id est baptizatos in sancto salubrio. Vel novam Ierosalem
dicit, que imitatur novum hominem et ambulat in novitate eius;
promat novam dulcedinem meli. Melus dicitur cantus, set regula   35
grammatice est ut cum dictio implicat in se significationes duarum
dictionum et altera ei apponitur, restringitur ad significationem
alterius. Verbi gratia: *cede* idem significat quod *da locum.* Dic: *Cede*
locum; nichil aliud est quam *da locum.* Similiter melus dulcis cantus
dicitur, set quia hic legitur DULCEDINEM MELI, sensus est   40
DULCEDINEM cantus. PROMAT, id est proferat, COLENS CUM
SOBRIIS PASCHALE FESTUM GAUDIIS.

---

1 Mt. 26.2   3 Petr. Com. *Hist.* 147   5-6 1 Cor. 5.8   6-10 Alan. Ins. *Dist.* s.v.
24-29 Cf. Petr. Lomb. *Sent.* 2.6.6

---

34 novam: novem, *cod.*

QUO CHRISTUS INVICTUS LEO. LEO scilicet *de tribu Iuda,* qui dicitur leo propter fortitudinem. Diabolus leo dicitur propter crudelitatem et draco dicitur propter insidias malicie.

DRACONE SURGENS OBRUTO, id est prostrato, DUM VOCE
5 VIVA PERSONAT, A MORTE FUNCTOS EXCITAT. De electis qui erant in inferno intelligit quod conicitur ex ordine littere. Aut si non vis attendere ordinem littere, potes intelligere de illis quos resuscitavit ante passionem. Lazaro dixit: *Lazare, veni foras.*

QUAM DEVORARAT IMPROBUS PREDAM REFUDIT
10 TARTARUS. Tartarus dicitur improbus, quia omnia volebat absorbere. Unde de diabolo dicit Dominus ad Iob: *Absorbebit fluvium et non mirabitur* et *habet fidutiam quod Iordanis effluat in os eius.*

CAPTIVITATE LIBERA IESUM SECUNTUR AGMINA. Captivat Christus ad libertatem. Captivat diabolus ad extremam
15 servitutem. De utraque captivitate legitur in hoc versu: *Captivam duxit captivitatem,* quasi captivatos a diabolo fecit suos captivos et ad celum duxit.

TRIUMPHAT ILLE SPLENDIDE. Triumphus Christi completus fuit in eius resurexione, in qua destructa fuit mors. Unde
20 propter forte splendorem resurectionis dicit SPLENDIDE ET DIGNUS AMPLITUDINE, id est ut ampliaretur regnum eius, quod factum est in eo quod sequitur. SOLI POLIQUE PATRIAM UNAM FACIT REM PUBPLICAM.

IPSUM CANENDO SUPPLICES REGEM PRECEMUR
25 MILITES UT IN SUO /166r/ CLARISSIMO NOS ORDINET PALATIO. PER SECLA METE NESCIA, id est finis et cetera.

27. OPTATUS VOTIS OMNIUM SACRATUS ILLUXIT DIES, id est ascensionis Domini. Votis omnium carnalitas ista acommoda est, id est fidelium.
30 QUO CHRISTUS, MUNDI SPES, DEUS. Hoc intelligit de mundo mundificato non inquinato. De quo apostolus: *Deus erat in*

---

4 prostrato *marg. gl.* γ Diabolus significatur per leonem, ursum et draconem propter diversas causas. Leo fortis est in capite et pectore; ursus in lumbis et brachiis; draco in cauda. Unde dicitur quod caudam suam implicat in cauda elephanti et hoc
35 modo interficit. Per leonem itaque diabolus intelligitur cum corrumpit principium boni operis temptatione sua forti. Per ursum cum medium corrumpit. Per draconem cum finem depravat. Plerumque enim contingit quod invalidus est in corruptione principii et insidiatur medio. Et ubi impotens est ibi insidiatur calcaneo, id est fini, temptans saltem per vanam gloriam.
40 23 PUBPLICAM *suprascr. gl.* γ id est homines et angelos
26 et cetera *marg. gl.* γ Cum homines metiuntur agros distinctis finibus ad memoriam conservandam, ponunt terminos in finibus agrorum, quos vocant metas propter mensuram factam. Et quoniam meta illa signat finem agri, meta pro fine ponitur.

---

1 Apc. 5.5; Alan. Ins. *Dist.* s.v.   8 Io. 11.43   11-12 Iob 40.18; cf. Apc. 12.16
13-14 Cf. Petr. Lomb. *Sent.* 3.18.5, 3.19.1-2, 3.20.1   15-16 Eph. 4.8; cf. Ps. 67.19
18-19 Cf. 1 Cor. 15.26; Petr. Lomb. *Sent.* 3.18.3, 3.19.1, 3.21.1   30 Cf. Pap. *Glossar.* s.v.
31 2 Cor. 5.19   32-39 Cf. Raban. M *Alleg.* s.v.   41-44 cf. Isid. *Orig.* 18.30

---

29 fidelium: fideliium, *cod.*

Christo mundum sibi reconcilians. Et Dominus in evangelio: *Non venit in mundum filius hominis ut iudicet mundum, set ut salvetur mundus per ipsum.* De mundo inquinato dicit Iohannes in canonica sua: *Nolite diligere mundum nec ea que in mundo sunt.*

ARDUOS, id est altos. Ascendit enim usque ad empireum celum, 5
ibi sedet ad dexteram Patris, id est requiescit in pocioribus bonis Patris.
ASCENDENS IN ALTUM DOMINUS PROPRIAM SEDEM
REMEANS. Nominatim sunt absoluti, nisi quis velit referre ad
litteram precedentem aut facere magnam supletionem, sicut diximus
in expositione cuiusdam hymni. PROPRIAM dicit quantum ad 10
divinitatem licet ubique sit. Ibi enim angeli et sancti glorificati eum
adorant. De humanitate dicit Dominus in parabola: *Homo quidam
peregre* et cetera. Proprius enim locus carnis terra est.

GAVISA SUNT CELI REGNA, id est angelice potestates,
REDITU UNIGENITI. Sane hoc intellige, non enim potes accipere 15
secundum divinitatem, que ibi semper fuit, nec secundum humanitatem, que numquam ibi fuerat. Set sicut dicitur descendisse in utero
virginis, id est incarnatus est, sic dicitur rediisse ad celum qui
humanitatem suam ascendendo exaltavit ut, sicut in carne mortali
apparuerat hominibus, ita in carne glorificata angelis appareret. 20

MAGNI TRIUMPHUM PRELII, quasi audi, MUNDI PER-
EMPTO PRINCIPE, id est victo diabolo. De quo Dominus: *Princeps
huius mundi eicietur foras.* PATRIS PRESENTANS VULTIBUS
VICTRICIS CARNIS GLORIAM.

EST ELEVATUS NUBIBUS ET SPEM FECIT CREDENTI- 25
BUS, ascendendi scilicet post eum, APERIENS PARADISUM
QUEM PROTHOPLASTUS CLAUSERAT scilicet peccando.

O GRANDE CUNCTIS GAUDIUM QUOD PARTUS NOSTRE
VIRGINIS, POST SPUTA FLAGRA, POST CRUCEM, PATERNE
SEDI IUNGITUR, quia sedet ad dexteram Patris. 30

AGAMUS ERGO GRATIAS NOSTRE SALUTIS VINDICI, id
est liberatori. Secundum Papiam: *Vindex* dicitur *defensor, propug-
nator, custos a vindico, vindicas, sicuti iudex a iudico,* iudicas. Et post
pauca: *Vindicat qui supplicio dampnat aut morti dat aut ulciscitur.*
Vindicat etiam qui *a periculo liberat* et ideo dicimus que verior littera 35

---

10 hymni *suprascr. gl.* γ ALMI PROPHETE.
20 appareret *marg. gl.* ε Ambrosius: *Ego sum panis vivus qui de celo descendi.*
Sed caro non descendit de celo, quomodo ergo descendit de celo panis vivus? Quia idem Dominus Iesus consors est divinitatis et corporis.
24 GLORIAM *marg. gl.* ε Cicatrices vulnerum reservavit Dominus ut eas 40
ostenderet discipulis, ut Patri presentaret, quasi intercedendo pro nobis, ut eas
monstraret reprobis ut videant in quem pupugerunt.
34 *marg. gl.* γ Papias

---

1 2 Cor. 5.19   2-3 Io. 3.17   4 1 Io. 2.15   5 Cf. Pap. *Glossar.* s.v.   12-13 Mc.
13.34; cf. Mt. 21.33, 25.14; Lc. 15.13, 20.9   14-20 Cf. Aug. *Enchir.* 35.10; Ps. Aug.
Un. Trin. 14; Petr. Lomb. *Sent.* 3.5.1, 3.6.2, 3.11.3, 3.18.1, 3.18.2, 3.18.4, 3.21.1   17-18
Cf. Mt. 1.18   18-20 Cf. Act. 1.10-11   22-23 Io. 12.31   32-33 Pap. *Glossar.* s.v.   36-38
Ambr. *Sacr.* 6.1.4   40-42 Cf. Petr. Com. *Hist.* 192

G

est VINDICI, quasi liberatori vel defensori, NOSTRE SALUTIS, NOSTRUM QUOD CORPUS VEXERIT SUBLIMEM AD CELI REGIAM.

SIT NOBIS CUM CELESTIBUS, id est cum angelis, COM-
5   MUNE MANENS GAUDIUM ILLIS, QUOD SE PRESENTAVIT secundum humanitatem, NOBIS QUOD SE NON ABSTULIT secundum deitatem. Quia ipse dicit: *Vobiscum sum usque ad consummationem seculi.*

NUNC PROVOCATIS ACTIBUS in melius, CHRISTUM EX-
10   PECTARE NOS DECET venturum ad iuditium, VITAQUE TALI VIVERE /166v/ QUE POSSIT CELOS SCANDERE, id est cuius merito cum gratia possimus celos scandere.

28.   IESU NOSTRA REDEMPTIO, AMOR ET DESIDER-
IUM, is est amor noster et desiderium nostrum, id est quem amamus
15   et cuius visionem desideramus. Et dicit AMOR noster enphatice, id est expressive, propter ardorem amoris. DEUS CREATOR OMNIUM HOMO IN FINE TEMPORUM, id est homo factus in ultima etate.

QUE TE VICIT CLEMENTIA, quasi magna fuit pietas, magna caritas que te fecit incarnari. In hoc quodammodo vinci voluit, et
20   hec victoria ad utilitatem nostram cessit.

UT FERRES NOSTRA CRIMINA, id est auferres vel ut susti-
neres penam pro peccatis nostris. In Ysaya legitur: *Vere langores nostros ipse tulit et dolores ipse portavit,* id est penam pro peccatis nostris, que sunt causa doloris. Et alibi: Christus *peccata nostra*
25   *pertulit in corpore suo super lignum,* id est penam pro peccatis.

CRUDELEM MORTEM PACIENS. CRUDELEM dicit propter crudelitatem inferentium vel CRUDELEM, id est horribilem.

UT NOS A MORTE SOLVERES, id est liberares a morte scilicet perpetua, vel a morte, id est diabolo, vel a mortali peccato. De hoc
30   satis dictum est supra in hymno, HIC EST DIES VERUS DEI.

INFERNI CLAUSTRA PENETRANS, TUOS CAPTIVOS REDIMENS, VICTOR TRIUMPHO NOBILI AD DEXTERAM PATRIS RESIDENS.

IPSA TE COGAT PIETAS, illa scilicet de qua supra dictum est
35   in eodem hymno, UT MALA NOSTRA SUPERES peccata scilicet remittendo et gratiam apponendo, PARCENDO ET VOTI COM-
POTES, NOS TUO VULTU SACIES, id est manifesta visione tui. Unde in psalmo: *Saciabor cum apparuerit gloria tua.*

40   38 *marg. gl. β* Apud Romanos quondam post victoriam exhibebatur triumphus victori, id est quidam in magna pompa, et dicebatur triumphus a triplici ordine incedentium. Militibus Christi post victoriam suam exhibetur honor non temporalis, qui cito transit et cadit, sed celestis et perpetuus, cum gaudio enim civium supernorum recipitur ad visionem Dei, sed longe dignior triumphus exhibitus est Christo post
45   victoriam suam in qua vicit diabolum et post quem alii vincunt. Pater enim suus eum honorans preceteris eum sedere fecit ad dexteram suam, ubi eius humanitas adoratur ab angelis et sanctis glorificatis, et ideo dicit: VICTOR TRIUMPHO NOBILI AD DEXTERAM PATRIS RESIDENS.

7-8 Mt. 28.20   18-19 Cf. Petr. Lomb. *Sent.* 3.18.2, 3.19.1   21-22 Cf. Petr. Lomb. *Sent.* 4.18.4   22-23 Is. 53.4   24-25 1 Pt. 2.24   38 Ps. 16.15   40-48 Cf. Isid. *Orig.* 18.2.4

6 QUOD: Quos *cod.*

29. ETERNE REX ALTISSIME, REDEMPTOR ET FID-
ELIUM, QUO MORS SOLUTA DEPERIT. De hoc satis supra.
DATUR TRIUMPHUS GRATIE, nobis scilicet per te, vel GRATIE
sit dativi casus et est sensus: TRIUMPHUS DATUR GRATIE ut
scilicet gratia vincat culpam, vel datur tibi.   5
    SCANDENS TRIBUNAL GLORIE, in ascensione scilicet,
PATRIS LOCARIS DEXTERA. In psalmo dicit Pater: *Sede a dextris
meis.*
    ET POTESTATEM ACCIPIS PERFECTAM SUPER OMNIA.
Unde ipse dixit: *Data est michi omnis potestas in celo et in terra.*   10
Et in psalmo: *Omnia subiecisti sub pedibus eius.*
    UT TRINA RERUM MACHINA CELESTIUM, TERREST-
RIUM, ET INFERNORUM GENUA FLECTAT IN IESU NOMINE.
Velit, nolit diabolus, servit Deo et de ipso et membris eius operatur
ad utilitatem electorum. Servit set non obedit, quia non ex voluntate   15
servit.
    TREMUNT VIDENTES ANGELI, id est admirantur, VERSA
VICE MORTALIUM, quia prius omnes descendebant ad infernum,
modo autem ascendunt ad celum.
    CULPAT CARO in Adam. Anima corrupta per inobedientiam   20
corrupit carnem; in posteris contrarium est quia caro corrupta ex
libidine coeuntium corrumpit animam infusam, et ideo forte dicit
CULPAT CARO. Vel CULPAT CARO, id est homo, pars pro toto.
Ut in exodo, Iacob in Egyptum intravit in septuaginta animabus. Vel
CULPAT CARO ideo dicit, quia anima quedam peccata committit   25
secundum carnem, sicut fornicatio et quedam alia. Peccata enim
carnis dicuntur, non quia caro per se peccet, set anima secundum
carnem.
    PURGAT CARO, id est caro Christi, id est pas/167r/sio in carne.
Vel PURGAT CARO, id est Christus, homo. Unde subdit REGNAT   30
DEUS, DEI CARO, id est Deus, homo. Unde: *Verbum caro factum
est,* id est homo. Que secuntur plana sunt.

    30. IAM CHRISTUS ASTRA ASCENDERAT, REGRESSUS
UNDE VENERAT. Sane intellige, sicut supra dictum est de reditu
unigeniti.   35
    PROMISSUM PATRIS MUNERE SANCTUM DATURUS
SPIRITUM. Iunge, si placet, PATRIS cum hac dictione PROMIS-
SUM vel cum hac dictione MUNERE. Fuit enim et promissum Patris
et munus Patris, vel promissum a Filio ut esset munus Patris. Spiritus
Sanctus est munus Patris et Filii. In naturalibus munus datur ad   40

---

33 ASTRA *marg. gl.* γ[i] Secundum methonomiam ponit contentum pro continente.
Astra enim continentur in celo, id est in firmamento.

4-5 Cf. Aug. *In Psalm.* 87.10; Petr. Lomb. *Sent.* 4.18.4   7-8 Ps. 109.1   10 Mt.
28.18   11 Ps. 8.8; cf. Hbr. 2.8   20-23 Cf. Petr. Lomb. *Sent.* 2.30.1-5, 2.31.1-5   23-24
Cf. Ex. 1.1-1.5; Dt. 10.22   31-32 Io. 1.14   39-40 Petr. Lomb. *Sent.* 1.17.4, 1.18.4, 1.31.7,
3.36.2

diversos usus; puta: equus ad equitandum, ad onera deferenda. Ita
et munus quod est Spiritus Sanctus ad plures usus datur. Datum est
Iob ad pacientiam, Abrahe ad obedientiam, Moysi ad mansuetudinem,
David ad humilitatem. Unde apostolus: *Alii per Spiritum datur sermo*
5   *sapientie, alii sermo scientie, alteri fides, alii genera linguarum* et
cetera. Merito ergo donum sive munus dicitur.

     SOLLEMPNIS SURGEBAT DIES, id est pentecostes, quod
dicitur a *penta,* quod est quinque, et *costa,* quod est decem, quia
quinquies decem faciunt quinquaginta.

10   QUO MISTICO SEPTEMPLICI ORBIS VOLUTUS SEPTIES
SIGNAT BEATA TEMPORA. Septenarius numerus misticus est.
Iudei enim observabant septimum diem, septimum mensem et
septimum annum, septimum annum septime decadis, qui dicitur
iubileus, set cum septimus annus septime decadis sit, sexagesimus
15 septimus, non quinquagesimus. Dubitari potest quare dicitur iubileus.
Ad hoc respondendum quod Cyrus, rex Persarum, eo anno dedit
Iudeis licentiam revertendi, et ideo illum annum celebraverunt tamquam iubileum, quod antea in captivitate non fecerant.

     Sic legatur littera QUO, die scilicet, ORBIS solaris VOLUTUS
20 SEPTIES, id est multiplicatus, MISTICO SEPTEMPLICI, id est per
septenarium, ut dicas septies septem, que faciunt quinquaginta addito
monade. Quinquagesimus enim annus, id est annus remissionis et
quietis, et similiter quinquagesimus dies a pascha SIGNAT BEATA
TEMPORA, id est quietem eterne vite. Et sciendum quod die
25 pentecostes offerebantur panes fermentati primiciarum et hoc erat
sacrificium novum, id est nova confectum messe, in quo notatur nove
vite conversatio. Set in lege preceptum erat ut fermentum non
offerretur Domino, set ibi per fermentum intelligitur peccatum, hic
caritas. In quo sensu accipitur in evangelio ubi mulier assumpsit tria
30 sata farine et fermentavit totum. Hii panes significant apostolos, qui
fuerunt refectio aliorum et in die pentecostes fermentati fuerunt, id
est igne caritatis accensi. Fermentum dilatat et quasi multiplicat
farinam conspersam. Unde merito per ipsum accipitur latitudo
caritatis. Sol singulis diebus circuit terram, et in hoc completur dies
35 naturalis. Ideo dicit ORBIS solaris, id est dies quem sol illuminat,
MULTIPLICATUS SEPTIES et cetera, sicut supra.

---

     36 supra *marg. gl.* γ Vel ita sicut *annus in se re*volvitur et ideo orbis vel orbita
dicitur que in se circulariter movetur, ita dies cum ipse in se reflectatur merito per
orbem vel orbitam accipi potest. Sol de oriente currit ad occidentem et inde redit ad
40 orientem, et hoc fit die naturali; hoc quidam contingit singulis diebus. Sol tamen habet
circulum ecentricum, id est non habentem idem centrum cum terra. Unde et quandoque
vicinior terre quando remotior, cum circuit terram quolibet die naturali. Dicatur ergo
ORBIS, id est dies septies volutus, id est multiplicatus mistico septemplici, id est
septenario addito die Pentecostes, quod notat ille ablativus QUO, id est quinquagesimus
dies signat BEATA TEMPORA, sicut dictum est.

1-3 Petr. Lomb. *Sent.* 1.17.4, 1.18.4, 1.31.7, 3.36.2   4-5 1 Cor. 12.8-10   7-8 Cf.
Isid. *Orig.* 6.18.4-5   10-18 Cf. Hugo S. Vict. *In Ep. ad Gal.* 39   16-18 Cf. 1 Esr. 1-4;
Ier. 25.11-12   21-26 Cf. Isid. *Orig.* 5.38.1   27-28 Cf. Lv. 2.11   29-31 Cf. Hugo S. Vict.
Alleg. in N.T. 2.23; Alan Ins. *Dist.* s.v.   29-30 Cf. Mt. 13.33; Lc. 13.21   37 Verg. *Georg.*
2.402; cf. Isid. *Orig.* 5.36.1   37-45 Cf. Isid. *Orig.* 3.50.1, 3.51.1-2

CUM HORA CUNCTIS TERCIA REPENTE MUNDUS IN-
TONAT. In actibus apostolorum legitur: *Factus est repente de celo
sonus* et cetera. APOSTOLIS ORANTIBUS /167v/ DEUM VE-
NISSE NUNTIANS.

DE PATRIS ERGO LUMINE, id est filio, qui est lumen Patris,   5
lumen de lumine, quia Pater misit Spiritum Sanctum et Filius misit
Spiritum Sanctum.

DECORUS IGNIS ALMUS EST. Decorus dicitur quia decoros
facit potius mente quam corpore. DECORUS IGNIS ALMUS EST,
id est Spiritus Sanctus, QUI FIDA CHRISTI PECTORA, id est   10
pectora Christo consecrata, fidelia a fide, virtute, CALORE VERBI
COMPLEAT, id est ardore predicanti verbum Dei.

IMPLETA GAUDENT VISCERA AFFLATA SANCTO LU-
MINE, id est aspirata Spiritu Sancto; VOCES DIVERSE CON-
SONANT, quia in diversis generibus linguarum FANTUR DEI   15
MAGNALIA predicantes passionem et resurrexionem et miracula que
fecit et alia.

EX OMNI GENTE COGITUR GRECUS, LATINUS, BAR-
BARUS. Iudei dispersi erant per diversas regiones gentium et tunc
convenerant ad diem festum. CUNCTISQUE ADMIRANTIBUS   20
LINGUIS LOQUUNTUR OMNIUM.

IUDEA TUNC INCREDULA, VESANA TURBA SPIRITU.
Iunge VESANA SPIRITU. RUCTARE MUSTI CRAPULAM
ALUMNOS CHRISTI CONCREPAT, id est quos aluerat Christus.
Crapula proprie dicitur in superfluitate cibi, ebrietas in potu, set hic   25
large accipitur. Irridentes mistice unde dicunt quia non vino veteri,
quod in nuptiis defecit, set musto gratie spiritualis, id est novo vino
quod in utres novos venerat, erant impleti.

SET SIGNIS ET VIRTUTIBUS OCCURRIT ET DOCET
PETRUS FALSA PROFARI PERFIDOS IOHELE TESTE COM-   30
PROBANS. Per quem Deus dicit: *Effundam de Spiritu meo super
omnem carnem, et prophetabunt filii vestri et filie* et cetera.

31.   BEATA NOBIS GAUDIA ANNI REDUXIT ORBITA, id
est sol vel circularis cursus anni, QUO SPIRITUS PARACLITUS,
id est consolator, EFFULXIT IN DISCIPULOS. Ideo dicit EFFUL-   35
XIT quia in igne apparuit.

---

14 aspirata *marg. gl.* γ Flatus dicitur spiritus. Unde Dominus: Omnem *flatum*
ego feci.
   33 GAUDIA *marg. gl.* γ id est diem sollemnem pentecostes, in quo qui digne
gaudet beatus est   40
   35 *marg. gl.* β qui in se reflectitur sicut iota in se volvitur

---

2-3 Act. 2.2   5-7 Cf. Petr. Lomb. *Sent.* 1.5.1-2, 1.27.5   18-20 Act. 8.1   24-25
Cf. Isid. *Orig.* 20.2.9; Pap. *Glossar.* s.v.   26-27 Cf. Io. 2.1-11   26-28 Cf. Lc.
5.37-38   31-32 Ioel 2.28; cf. Is. 44.3; Act. 2.17   33-34 Cf. Isid. *Orig.* 5.36.1   37-38
Is. 57.16

IGNIS VIBRANTE LUMINE, id est quod vibrabatur, sicut apud poetam: *Vibrancia concutit arma,* id est que vibrantur.

LINGUE FIGURAM DETULIT VERBIS UT ESSENT PRO-FLUI ET CARITATE FERVIDI. In igne apparuit ut eos faceret ardere
5   caritate, in linguis ut eos faceret habundantes verbis et generibus linguarum et facundos.

LINGUIS LOCUNTUR OMNIUM TURBE PAVENT GEN-TILIUM. Admirantes scilicet forte gentiles vocat Iudeos qui habi-tabant inter gentes, qui venerant ad diem festum, vel in propria
10 significatione quia quidam ex gentibus causa devotionis et orationis veniebant Ierosalem ad templum, sicut legitur in actibus apostolorum de eunucho Candacis regine.

MUSTO MADERE DEPUTANT QUOS SPIRITUS REPLE-VERAT. Hoc supra expositum est.

15 PATRATA SUNT HEC MYSTICA. Misterium, scilicet conti-nentia, occultum quidem infidelibus, set fidelibus manifestum.

PASCHE PERACTO TEMPORE SACRO DIERUM NUMERO QUO LEGE FIT REMISSIO. Sic lege litteram SACRO DIERUM NUMERO PERACTO, id est completo a tempore pasche. Dic septies
20 septem et habebis undequinquaginta, adde monadem, id est unitatem, et fiunt quinquaginta; quinquagesimo enim die erat sollempnitas pentecostes. De qua supra dictum est. Quinquagesimus annus dicitur annus remissivus, quia eo anno quiescebat terra, possessiones rever-tebantur ad priores dominos; qui casu occiderat et non /168r/ sponte
25 redibat ad civitatem suam.

TE NUNC DEUS PIISSIME CORDE PRECAMUR SUPPLICI ILLAPSA NOBIS CELITUS LARGIRE DONA SPIRITUS.

DUDUM SACRATA PECTORA, id est corda apostolorum, que prius sacrasti, TUA REPLESTI GRATIA, id est hac die pleniorem
30 gratiam dedisti ad robur scilicet ut fortes essent in bello spirituali et non timerent tormenta nec minas tyrannorum.

DIMITTE NUNC PECCAMINA ET DA QUIETA TEMPORA, id est vitam eternam, vel QUIETA TEMPORA ut pacem habeamus in presenti interiorem et exteriorem.

35   32. VENI, CREATOR SPIRITUS. Ecclesia, que iam habet Spiritum Sanctum, petit ut adhuc veniat, ut habitus plenius habeatur, ut caritas nata augeatur, aucta perficiatur, perfecta dicat: Cupio dissolvi et esse cum Christo. Pater est creator, Filius creator, Spiritus Sanctus creator, et ipsi tres sunt unus creator.

40   MENTES TUORUM scilicet fidelium VISITA adinstar medici qui visitat infirmum ut curet, curatum set nundum plene roboratum visitat ut firmius convalescat.

---

14 expositum *suprascr. gl.* γ in hymno IAM CHRISTUS

---

2 Ovid. *Met.* 1.143, 12.79   11-12 Cf. Act. 8.27   22-23 Cf. Isid. *Orig.* 5.37.3, 5.38.1   35-40 Cf. Petr. Lomb. *Sent.* 1.17.5, 1.29.2

IMPLE SUPERNA GRATIA QUE TU CREASTI PECTORA. In hoc quod dicit IMPLE, notat quod habere desiderat gratiam habundantem; PECTORA, id est corda.

QUI PARACLITUS DICERIS, id est consolator. *Paraclisis* enim interpretatur *consolatio.* Unde in psalmo: *Consolationes tue letificaverunt animam meam.* Ibi Greci dicunt *paraclyses.* 5

DONUM DEI ALTISSIMI ab eterno scilicet, id est donabile, datum in tempore. Et sciendum quod Pater misit Spiritum Sanctum, Filius misit Spiritum Sanctum et Spiritus Sanctus misit se ipsum; *indivisa* enim *sunt opera trinitatis.* 10

FONS VIVUS. Unde Dominus: Qui *sitit, veniat ad me et bibat, et flumina de ventre eius fluent aque vive.* Et evangelista statim subdit: *Hoc autem dixit de Spiritu* Sancto, *quem accepturi erant credentes.*

IGNIS, Deus noster ignis consumens est, CARITAS, id est dilectio, quia *Spiritus Sanctus amor est Patris et Filii,* ET SPIRI- 15 TALIS UNCTIO. De hac Iohannes in canonica sua: *Unctio docuit vos.* Hac unctione unctus est Christus secundum hominem. Unde in psalmo: *Unxit te Deus, Deus tuus, oleo leticie.* Et Ysayas: *Spiritus Domini super me eo quod unxerit me.* Et in Daniele: *Septuaginta ebdomades abbreviate sunt,* et post pauca, *et ungatur sanctus* 20 *sanctorum.*

TU SEPTIFORMIS MUNERE, quia sunt septem dona Spiritus Sancti: *spiritus sapientie et intellectus, spiritus consilii et fortitudinis, spiritus scientie et pietatis,* et *spiritus timoris* Dei. Hii sunt apud Zachariam: *Septem oculi super lapidem,* id est super Christum. Et 25 in Ysaya: *Septem mulieres* que *apprehenderunt virum unum,* id est Christum. *Sapientia est,* ut dicunt philosophi est, *divinarum humanarumque rerum cognitio.* Secundum Augustinum, *sapientia est divinarum rerum cognitio, scientia vero* tantum *humanarum.* Potest tamen evidentius distingui iuxta sanctorum auctoritates ut *sapientia* 30 dicatur pertinere *ad eterne veritatis contemplationem et dilectionem,*

---

22 SEPTIFORMIS *marg. gl. β* Septenarius sacratus numerus fuit in veteri testamento. Patres enim in veteri testamento ebdomadi serviebant sicut publice notum est. Sacratus est in novo. Ecce septem sunt dona Spiritus Sancti, septem angeli, septem candelabra, septem ecclesie in Asia in apocalipsi, septem oculi super lapidem in 35 Zacharia, septem dona baptismi, scilicet pabulum salis, narium et aurium sputo facta linitio, insuflatio, in fronte et pectore crucis signatio, in ecclesiam introductio, ablutio, in pectore et inter scapulas inunctio. Item Ysayas: *Septem mulieres* que *apprehenderunt virum unum,* id est Christum. Septem peticiones in oratione Dominica, septem beatitudines in sermone Domini, id est septem virtutes per quas venitur ad beatitudinem. 40 Septem sacramenta ecclesie, scilicet baptismus, penitentia, eucharistia, ordo, coniugium, confirmatio, inunctio infirmorum. Septem ordines clericorum, septem columpne ecclesie in domo sapientie, septem diaconi qui ministrabant mensis. Septima etas quiescentium que sequetur sex etates mortalium magis sacratus erit in paradyso ubi anima perpetuo gaudebit triplici dote et corpus quattuor.

4-5 Isid. *Orig.* 7.3.10; Pap. *Glossar.* s.v.   5-6 Ps. 93.19   8-10 Petr. Lomb. *Sent.* 3.13 10-13 Io. 7.37-39; cf. Apc. 22.17   15 Petr. Lomb. *Sent.* 1.10.1, 1.32.1   16-17 1 Io. 2.27 18 Ps. 44.8   18-19 Is. 61.1   19-21 Dn. 9.24   22-24 Is. 11.2-3; cf. Petr. Lomb. *In Psalm.* 28.3, *In. Ep. ad Col.* 2.1-3, *Sent.* 3.34.1   24 Za. 3.9   26 Is. 4.1   27-29 Aug. *Trin.* 14.1 27-31 Petr. Lomb. *Sent.* 1.45.6, 3.33-35   38-39 Is. 4.1

et secundum hoc dicitur a sapore virtutum, condita scientia, et dicitur
a *sapore* non a *sapere*. De qua: *In malivolam animam non introibit
sapientia* et cetera. *Scientia* vero *ad rectam* terrenorum ordinationem
et rectam *inter malos conversationem. Intellectus* pertinet *ad* eterne
5   maiestatis *et creaturarum invisibilium* contemp*lationem. Pieta*s est
divinus cultus, *qui Grece theosebia dicitur,* id est *cultus Dei.* Consilium ad ethicam /168v/ pertinet ut scilicet aliquis sciat sibi consulere
et providere et etiam proximo. *Fortitud*inis est *perferre molesti*as.
DEXTRE DEI TU DIGITUS. In digito plures sunt articuli, et
10   in Spiritu Sancto plura dona. De hoc digito Dei dixerunt magi
pharaonis, qui defecerunt in tercio signo, et merito quia phillosophi
gentium non habuerunt cognitionem Spiritus Sancti, qui est tercia
persona in trinitate. Digitus Dei est hic. Et Dominus in evangelio:
Si in digito Dei eicio demonia et cetera. Dextera Patris Filius est, per
15   quem potenter operatur.
TU RITE PROMISSUM PATRIS SERMONE DITANS GUT-
TURA, id est generibus linguarum linguas apostolorum.
ACCENDE LUMEN SENSIBUS, id est lumen fidei sensibus
interioribus, INFUNDE AMOREM CORDIBUS, id est caritatem,
20   INFIRMA NOSTRI CORPORIS VIRTUTE FIRMANS PERPETI.
Hoc erit in resurrectione, quando corruptibile hoc induerit incorrup-
telam, vel in presenti, ut scilicet sparsimus fortes contra temptationes
diaboli.
HOSTEM REPELLAS LONGIUS, id est diabolum, PACEM-
25   QUE DONES PROTINUS, interiorem scilicet et exteriorem pectoris
et temporis. DUCTORE SIC TE PREVIO VITEMUS OMNE
NOXIUM.
PER TE SCIAMUS, DA, PATREM NOSCAMUS ATQUE
FILIUM. Modus constructionis talis est: DA ut SCIAMUS PER TE
30   PATREM. Dominus per Iheremiam ait: Nemo *glorietur in sapientia
sua,* nemo *in fortitudine sua,* nemo *in divitiis suis,* set qui gloriatur
glorietur in hoc nosse me. Summa sapientia est nosse Deum. TE
UTRIUSQUE SPIRITUM CREDAMUS OMNI TEMPORE.

33.   STEPHANI PRIMI MARTYRIS, primi tempore gratie,
35   primi post passionem Domini, CANTEMUS NOVUM CANTICUM,
id est hymnum novum, quia ad honorem novi hominis cantatur.
QUOD DULCE SIT PSALLENTIBUS excitando devotionem,
OPEM FERAT CREDENTIBUS ad me ritum scilicet sui augendum.

---

36 cantatur *marg. gl.* y[i] Vel hymnum novum dicit pro nove passionis victoria,
40   quia prophete Christi primus passus est.

1-8 Petr. Lomb. *Sent.* 1.45.6, 3.33-35   2-3 Sap. 1.4   9-15 Cf. Raban. M. *Alleg.*
s.v.; Hugo S. Vict. *In Ep. ad Rom.* 39   10-12 Ex. 8.19   14 Lc. 11.20   21-23 Cf. Petr.
Lomb. *Sent.* 4.43.7, 4.44.3   30-32 Ier. 9.23-24; cf. 1 Cor. 1.31; 2 Cor. 10.17

---

37 excitando: exitando, *cod.*

PSALLAMUS HOC DISCIPULI. Bene psallat qui bene operatur, quia psalmus significat operationem. LAUDEM CANAMUS MARTYRIS QUI PRIMUS POST REDEMPTOREM CHRISTI SECUTUS EST CRUCEM, id est passionem.

SIC ENIM PER APOSTOLUM PROBATUS IN LAUDE DEI, 5
scilicet Petrum, qui ipsum probatum cum aliis diaconibus elegit ad ministrandum mensis.

VEXILLA MORTE RAPUIT ut preferretur omnibus. In pugna temporali vexilla deferuntur a viro forti ut ea sequantur pugnantes, et hoc fecit Stephanus spiritualiter, qui alios precessit ad pugnam 10
martyrii.

UT PREFERRETUR OMNIBUS, id est prior esset omnibus.

O PREFERENDA GLORIA, O BEATA VICTORIA, UT MERUISSET STEPHANUS UT SEQUERETUR DOMINUM. Imitatio Stephani in passione quodammodo fuit meritum beati 15
Stephani. Sicut enim peccatum causa est peccati, ita potest dici quod bonum meritum causa est alterius boni meriti. Unde in apocalipsi: Iustum est, ut *qui in sordibus est sordescat adhuc, et qui iustus est iustificetur adhuc.*

IPSE MARTYR EGREGIUS, AMORE CHRISTI PREDI- 20
CANS, SANCTO REPLETUS SPIRITU, VULTUM GERENS ANGELICUM, sicut habetur in actibus apostolorum.

ILLE LEVATIS OCULIS ad celum scilicet VIDIT PATREM CUM FILIO MONSTRANS IN CELIS VIVERE QUEM PLEBS QUEREBAT PERDERE. Unde ipse dixit: *Ecce video celos apertos* 25
et Iesum *stantem a dextris* virtutis Dei.

IUDEI MAGUM SEVIUNT, SAXIS COMPREHENSIS MAN-IBUS CURREBANT UT OCCIDERENT SACRATUM CHRISTI /169r/ MILITEM. Lapides currebant ad lapides.

ILLE PARATUS VERTICEM ad martyrium scilicet GAUDENS 30
SUSCEPIT LAPIDES; ROGANS PRO EIS DOMINUM, GAUDENS TRADIDIT SPIRITUM.

34. AMORE CHRISTI NOBILIS. Iohannes dicitur amore Christi nobilis quia, sicut legitur, eum pre ceteris dilexit, set sic intelligendum est: plus, id est familiarius, quia eum virginem de 35
nuptiis extraxerat, virginem conservabat et hoc ideo forte ut matrem virginem virgini commendaret. Dominus dixit Petro: *Symon Iohannis, diligis me plus hiis?* De dilectione maiore interrogavit, quia sciebat quod eum plus ceteris diligebat, et qui plus diligit Deum plus diligitur ab illo. Inde colligitur quod plus dilexit Petrus Deum quam Iohannes. 40

ET FILIUS TONITRUI. Iacobus et Iohannes dicebantur *Boe-narges, id est filii tonitrui,* quia ad preces eorum descendebat ignis de celo.

5-7 Cf. Act. 6.1-7   10 Cf. Act. 7.55-59   16-17 Cf. Petr. Lomb. *Sent.* 4.18.8
18-19 Apc. 22.11   20-22 Cf. Act. 7.55   25-26 Act. 7.55   33-34 Cf. Io. 13.23, 19.26,
21.7, 21.20   35-36 Cf. Io. 19.26-27   37-38 Io. 21.15   41-42 Petr. Com. *Hist.* 47; cf.
Mc. 3.17

ARCHANA IOHANNES DEI FATU REVELAVIT SACRO, id est sermone sacro, sicut patet in evangelio eius et in apocalipsi. CAPTIS SOLEBAT PISCIBUS PATRIS SENECTAM PASCERE, ad litteram, TURBANTE DUM NATAT SALO, id est mundo, IMMOBILIS FIDE STETIT. Tempore Domiciani missus est in ferventis olei dolio et relegatus in exilium in Pathimo insula, set in tanta turbatione immobilis fide stetit. Natabat quia adhuc in mundo erat, nundum venerat ad portum.

HAMUM PROFUNDO MERSERAT, PISCATUS EST VERBUM DEI. Hamo materiali capiuntur pisces; hamo spiritali, id est predicatione, capiuntur homines. Unde Dominus: *Ex hoc iam eris homines capiens.* Et Ieremias: *Mittam vobis multos piscatores.* PROFUNDO et cetera, profundo scilicet maris, quia apostoli de profundo iniquitatum multos extraxerunt. Unde in psalmo: *Dixit Dominus ex Basan: "Convertam",* id est convertam eos qui sunt in confusione peccati. *Basan* enim interpretatur *confusio.* Et alibi: Ingredieris *Babilonem* et *ibi liberaberis.*

PISCATUS EST VERBUM DEI. Qui piscatur temporaliter iactat rete ut capiat pisces. Similiter qui piscatur spiritualiter iactat rete predicationis, quod est verbum Dei, ut capiat homines; piscatus est itaque suple predicando verbum Dei. Simile invenitur in psalmo: *Ego autem cantabo fortitudinem tuam,* suple suscipiens mane misericordiam tuam.

IACTAVIT UNDIS maris magni RETIA predicationis; VITAM LEVAVIT OMNIUM qui credituri erant per ipsum.

PISCIS BONUS, PIA EST FIDES. In evangelio legitur: *Quis ex vobis patrem petit panem, numquid lapidem dabit* ei? *Aut piscem, numquid pro pisce dabit* ei *serpentem? Aut si petierit ovum, numquid porriget* ei *scorpionem?* Per panem intellige caritatem, que est refectio animarum. Per lapidem duritiam cordis. Per piscem fides quia, sicut piscis latet in flumine, ita fides in corde. Unde apostolus: *Corde creditur ad iusticiam.* Per ovum, in quo habetur spes avis, significatur spes. Per scorpionem, qui cauda pungit, desperatio finalis.

SUBNIXA CHRISTI PECTORE. Unde in evangelio: Quia *in cena recubuit* /169v/ *super pectus* Iesu.

SANCTO LOCATA SPIRITU, id est caritate. Aliter legatur littera illa.

PISCATUS EST VERBUM DEI, id est piscando spiritualiter cepit verbum Dei, id est Christum, id est fidem Christi conclusam in rete predicationis sue, in illis scilicet qui crediderunt. Apostolus dicit: *Fundamentum nemo potest ponere* nisi *quod positum est* Dominus *Iesus Christus,* id est fides Iesu Christi.

3-4 Cf. Sir. 3.14   6 Cf. Apc. 1.9   9-10 Cf. Raban. M. *Alleg.* s.v.   11-12 Lc. 5.10; cf. Mt. 4.19; Mc. 1.17   12 Ier. 16.16   14-15 Ps. 67.23   16 Raban. M. *Univ.* 2.2   17 Mi. 4.10   18-23 Cf. Raban. M. *Alleg.* s.v.   20-21 Cf. Io. 21.11   22 Ps. 58.17   26-29 Lc. 11.11-12; cf. Mt. 7.9-10   30-31 Raban. M. *Alleg.* s.v.; Alan. Ins. *Dist.* s.v.   31-32 Rm. 10.10   34-35 Io. 21.20   41-42 1 Cor. 3.11

IN PRINCIPIO ERAT VERBUM, id est in Patre, ET VERBUM
ERAT APUD DEUM, scilicet Patrem, ET DEUS ERAT VERBUM.
HOC ERAT IN PRINCIPIO APUD DEUM, videlicet ante omnia
tempora et omnem creaturam.

OMNIA PER IPSUM FACTA SUNT visibilia et invisibilia. SET
LAUDE IPSE SE SONET suis videlicet scripturis. Unde ipse subdit
ET LAUREATUS SPIRITU SCRIPTIS CORONETUR SUIS, id est
honoretur et commendetur.

COMMUNE MULTIS PASSIO CRUORQUE DELICTUM
LAVANS. Sensus talis est: PASSIO martyrii est COMMUNE, id est
res communus multis. Unde Gregorius: *Totus mundus plenus est
martyribus.* Est CRUOR qui martyrio solet fundi DELICTUM LAVANS
omnino scilicet. Unde Augustinus: *Iniuria*m facit *martyr*i qui *orat
pro martyre.* Pro aliis omnibus possumus orare, quia martyr statim
post mortem ascendit ad gloriam. Aliter: CRUOR DELICTUM
LAVANS quia martyrium gerit vicem baptismi sicut contricio.

HOC MORTE PRESTAT MARTYRUM QUOD FECIT ESSE
MARTYRES, quasi hoc prestantius est, id est melius, in morte
martyrum quod fecit esse martyres, id est causa. In martyrio duo
sunt causa et pena: causa est defensio fidei, pena est ipsa passio; hec
duo faciunt martyrem. Non enim pena facit martyrem scilicet sine
causa, set pocius causa adiuncta scilicet sibi pena. Simile in apostolo:
Scientia inflat scilicet sine caritate, cum *caritate edificat.*

VINCTUS TAMEN AB IMPIIS CALENTE OLIVO DICITUR
TERSISSE MUNDI PULVEREM, STETISSE VICTOR EMULI, id
est Domiciani, sub quo in urbe Roma in ferventis olei dolio missus
est et illesus exivit. Per pulverem intellige venialia peccata que ipse
forte habebat. Unde dicit in canonica sua: *Si dixerimus* quod
peccatum non habemus et cetera. Pulvis quandoque accipitur in bono.
Ut in psalmo: *Et pluit super eos sicut pulverem carnes.*

35. AGNES BEATE VIRGINIS NATALIS EST, QUO SPIRI-
TUM CELO REFUDIT DEBITUM, PIO SACRATA SANGUINE.
DEBITUM dicit, quia ipsum quasi commodatum et comendatum
acceperat a Deo, et ideo debebat ei reddere.

MATURA MARTYRIO FUIT, MATURA NONDUM NUPTIIS,
NUTABAT IN VIRIS FIDES, timentibus scilicet tormenta, CEDE-
BAT ET FESSUS SENEX metu penarum.

METU PARENTES TERRITI CLAUSTRUM PUDORIS
AUXERANT. Metu forte prefecti cuius filius aspirabat ad nuptias
eius, quia forte timebant ne, si ad alias transiret nuptias, punirentur
ab eo. Vel metu principum qui dampnabant Christianos et eis faventes.
SOLUIT FORES CUSTODIE FIDES TENERI NESCIA.

1-4 Io. 1.1-3   11-12 Greg. M. *In Evang.* 2.27   13-14 Aug. *Serm.* 159 *De Verb.
Ap.* 1.1; cf. Petr. Lomb. *Sent.* 4.45.2   19-20 Cf. Petr. Lomb. *In Ep. ad Rom.* 8.33-39;
Hugo S. Vict. *In Ep. ad Rom.* 230   23 1 Cor. 8.1   28-29 1 Io. 1.8   30 Ps. 77.27

PRODIRE QUIS NUPTUM PUTET, id est aliquis putet eam prodire ad nubendum. Causam subdit: SIC LETA VULTU DUCITUR ad tribunal. Virgines cum ducuntur ad nuptias, ylares esse solent.

NOVAS VERO FERENS OPES, interiores scilicet virtutes, spem et expectationem martyrii, DOTATA CENSU SANGUINIS, id est passione.

ARAS NEFANDI NUMINIS, id est Veste, cui consecrabantur virgines pagane, /170r/ ADOLERE TEDIS COGITUR, id est facibus, vel ad sacrificandum vel ad thurificandum. RESPONDET: HAUD TALES FACES SUMPSERE CHRISTI VIRGINES.

HIC IGNIS EXTINGUIT FIDEM; HEC FLAMMA LUMEN ERIPIT scilicet cordis. HIC, HIC FERITE, id est in corpore meo, UT PROFLUO CRUORE, id est inde fluente, RESTRINGAM FOCOS istos.

PERCUSSA QUAM POMPAM TULIT. POMPAM exponit, cum subdit NAM VESTE SE TOTAM TEGENS CURAM PUDORIS PRESTITIT, id est verecundie, NEQUIS RETECTAM CERNERET.

IN MORTE VIVEBAT PUDOR, VULTUMQUE TEXERAT MANU, TERRAM GENU FLEXO PETIT LAPSU VERECUNDO CADENS. Plana est littera.

36. MISTERIUM ECCLESIE. Brevis esse laboro, obscurus fio. Brevitate utitur beatus Ambrosius frequenter. Unde necessarie sunt suppletiones sicut in hoc loco. Dicatur ergo MYSTERIUM ECCLE-SIE, quasi dicat: Hoc est misterium quod est revelatum ecclesie, quod videlicet describitur in littera sequenti. De hoc misterio apostolus dicit: *Quod absconditum fuit a seculis et generationibus nunc autem manifestatum est sanctis eius, quibus voluit notas facere divitias glorie sacramenti huius in gentibus.*

Aliter: Nos REFERIMUS CHRISTO HYMNUM continentem scilicet misterium ecclesie. Et ne miretur quis si ita suppleamus, quia oportet fieri frequenter huiusmodi suppletiones, sicut supradictum est in quodam hymno, set iterare volumus ne acta agamus in hymno, scilicet beati Iohannis baptiste, et in canone misse: *Hic est calix sanguinis mei, novi testamenti,* scilicet confirmator; hoc etiam dictum est in hymno Iohannis baptiste. QUEM GENUIT PUERPERA VERBUM PATRIS IN FILIUM.

SOLA IN SEXU FEMINA ELECTA ES IN SECULO, in sexu scilicet muliebri, ET MERUISTI DOMINUM SANCTO PORTARE IN UTERO, id est digna fuisti. Hanc tamen dignitatem habuit ex gratia non ex meritis, quia nec ipsa nec totus mundus posset mereri ut Deus fieret homo. Digna quoque dicitur in respectu quia dignior fuit ceteris creaturis, excepta humanitate Filii sui.

---

24 misterium *marg. gl.* β Scilicet habet in se secretam et reconditam dispensationem redemptionis nostre.

26-28 Col. 1.26-27   33-34 *Can. Miss.*

VATES ANTIQUI TEMPORIS, id est prophete, sicut Ysayas, Ieremias, et alii, PREDIXERE QUOD FACTUM EST, QUIA VIRGO CONCIPERET ET PARERET EMANUEL, quod interpretatur *nobiscum Deus.*

MISTERIUM HOC MAGNUM EST MARIE QUOD CON-   5
CESSUM EST UT DEUM, PER QUEM OMNIA, EX SE VIDERET
PRODERE. Nota quod frequenter verbum pro verbo ponitur, sicut apud Virgilium: *Una eurusque notusque ruunt,* id est eruunt. Et in psalmo: *Exultabit lingua mea iusticiam tuam,* id est exultando pronuntiabit. Et in hymno epyphanie: SUBREPUNT, id est subri-   10
piunt. Ita hic ponitur PRODERE pro *prodire,* quod est verbum absolutum, et illud transitivum. Et forte ex aliqua ratione, quia verba ista habent affinitatem inter se, quia enim proditur, ostenditur, et manifestatur, et ideo notat verbum *prodire.*

Aliter ut fiat vis littere: UT VIDERET DEUM Patrem PRO-   15
DERE EX SE per nativitatem illum PER QUEM facta sunt OMNIA, id est Filium suum secundum carnem.

VERE GRATIA PLENA ES. Unde angelus: *Ave, gratia plena.* ET GLORIOSA PERMANES, QUIA EX TE NOBIS NATUS EST CHRISTUS, PER QUEM FACTA SUNT OMNIA.   20

PASTORES, QUI AUDIERUNT verbum angeli, GLORIAM DEO CANTAVERUNT, id est glorificaverunt Deum vel cantaverunt hymnum quem audierunt ab angelis: *Gloria in* excelsis *Deo* et cetera. Sic et nos /170v/ currere debemus ad videndum Deum, non lento gradu incedere.   25

SIC MAGI AB ORTU SOLIS PER STELLE INDICIUM, id est tres reges, qui dicti sunt *magi,* id est magni, *a magnitudine scientie,* PORTANTES TYPUM GENTIUM, id est figuram gentium conver-tendarum, PRIMI, quia fuerunt primitie gentium, OFFERUNT MUNERA, aurum scilicet, thus et myrram. Que sequuntur plana   30
sunt.

37.   O QUAM GLORIFICA et cetera. Ad gloriosam virginem dirigit sermonem, dicens: O QUAM GLORIFICA LUCE CHOR-USCAS, id est splendes. In luce gratie fuit in via, in luce glorie est in patria, et quanto maior fuit gratia tanto maior est gloria, unde   35
exaltata es super choros angelorum. Filius Dei dedit in precepto: *Honora patrem tuum et matrem tuam.* Patrem suum honorabat, dum esset vobiscum in terra, et inde colligitur quod matrem suam in celo honorat ut quod aliis precepit in se observet.

STIRPIS DAVITICE REGIA PROLES, quia de semine David   40
orta est, SUBLIMIS RESIDENS, id est quiescens, VIRGO MARIA SUPRA CELIGENAS ETHERIS OMNES.

---

4 Mt. 1.23; Isid. *Orig.* 7.2.10   8 Virg. *Aen.* 1.85   9 Ps. 50.16   18 Lc. 1.28   23 Lc. 2.14   26-27 Cf. Mt. 2.1   27 Petr. Com. *Hist.* 7   37 Ex. 20.12; Mt. 19.19; Mc. 7.10; Eph. 6.2; cf. Dt. 5.16; Mt. 15.4; Mc. 10.19; Lc. 18.20

TU CUM VIRGINEO, MATER, HONORE ANGELORUM
DOMINO PECTORIS AULAM SACRIS VISCERIBUS CASTA
PARASTI. Ipse principaliter paravit, tu secundario, quia tu non
posses parare, nisi ille parasset. NATUS HINC DEUS EST COR-
5   PORE CHRISTUS, id est secundum humanitatem.

QUEM CUNCTUS VENERANS ORBIS ADORAT, id est tota
ecclesia, CUI NUNC RITE GENU·FLECTITUR OMNE, id est cui
omnia sunt subiecta; genuum flexio subiectionem insinuat.

A QUO TE PETIMUS SUBVENIENTE, ABIECTIS TENE-
10   BRIS scilicet peccatorum GAUDIA LUCIS eterne.

HOC LARGIRE PATER LUMINIS OMNIS. Deus Pater dicitur
pater luminis omnis, quia ab ipso est Filius, qui est lumen; ab ipso
est Spiritus Sanctus, qui est lumen, licet non sit Pater eius; ab ipso
illuminatus est quicumque lumen fidei habet.
15   NATUM PER PROPRIUM FLAMINE SACRO, id est cum
Spiritu Sancto, QUI TECUM NITIDA VIVIT IN ETHRA, id est
in celo vel in sanctis, REGNANS AC MODERANS SECULA
CUNCTA.

38.   AVE, MARIS STELLA, id est Maria, que *stella maris,* id
20   est lux mundi, dicitur. Qui ad aspectum huius stelle navigat eam
imitando, eam exorando, et perseverat ad portum salutis procul dubio
venit. Maria interpretatur stella maris vel domina que revera domina
est quia mater Domini, regina quia mater Regis. Secundum Ysidorum:
Eva interpretatur mater vel *calamitas* vel *ve.* Secundum quod inter-
25   pretatur calamitas vel ve, Maria mutavit nomen Eve, quia illa mis-
eriam et dolorem mundo attulit; Maria auctorem gaudii parturivit.

AVE. Frequenter recolimus salutationem istam ut ex hoc
gaudium recolentes, quod in salutatione habuit, congratulemur
gaudenti, et inde gaudeat ad utilitatem nostram et preces nostras
30   promus audiendas.

AVE, id est sine ve, id est sine dolore, quia dolorem non sensit
in partu, angustiam in transitu. Ve eterno prorsus caret, gladium
tamen doloris sensit in passione. De quo dixerat Symeon: *Et tuam
ipsius animam gladio pertransibit.*
35   DEI MATER ALMA ATQUE SEMPER VIRGO, FELIX /171r/
CELI PORTA. Vel ideo porta celi dicitur, quia meritis et precibus
suis nos facit dignos ut ingrediamur paradysum, et ita ipsa nobis est
porta celi.

SUMENS ILLUD AVE GABRIELIS ORE, quando dixit: *Ave,*
40   *gratia plena,* FUNDA NOS IN PACE scilicet peccatoris et temporis.

---

23 Domini *suprascr. gl.* γ Vel illuminatus. He interpretationes fiunt secundum
diversas linguas.
36 PORTA *marg. gl.* γ[i] quia per ipsam aperta est porta paradisi.

11-14 Cf. Aug. *Trin.* 7.1.2, 7.3.4; Petr. Lomb., *Sent.* 1.5.1   19 Isid. *Orig.* 7.10.1;
Raban M. *Univ.* 4.1   24 Isid. *Orig.* 7.6.5   32 Cf. Raban. M. *Univ.* 2.1   33-34 Lc.
2.35   39-40 Lc. 1.28   40 Raban. M. *Alleg.* s.v.

Vel IN PACE, id est in Filio tuo, qui est summa pax, qui fecit utraque unum, qui coniunxit duos parietes in se, lapide uno angulari, et quoniam ipse fundamentum est. De quo dicit apostolus: *Fundamentum nemo potest ponere* nisi *quod positum est* Dominus *Iesus Christus,* id est fides Christi, ideo dicit FUNDA, id est pone, NOS in fundamento illo.

MUTANS NOMEN EVE. Muta hoc nomen, Eva, convertendo litteras et habebis *ave.* Eva attulit dolorem mundo, Maria gaudium; illa mortem, ista vitam.

SOLVE VINCLA REIS. Solve meritis et precibus tuis vincula peccatorum. REIS, id est peccatoribus.

PROFER LUMEN CECIS, id est lumen gratie spiritualis que cecos mente illuminet precibus tuis, MALA NOSTRA PELLE, BONA CUNCTA POSCE. Expone sicut expositum est.

MONSTRA TE ESSE MATREM, id est affectum matris erga nos que verba habet et benigna est filiis. SUMAT PER TE PRECEM, scilicet nostram, QUI PRO NOBIS NATUS TULIT ESSE TUUS. Iunge TUUS NATUS, id est filius.

VIRGO SINGULARIS, quia virgo et mater, INTER OMNES MITIS. De Moyse legitur: *Erat Moyses mitissimus omn*ium *qui* erant *in terra,* set ista mitior.

NOS CULPIS SOLUTOS, id est absolutos per remissionem peccatorum, MITES FAC ET CASTOS. Est castitas coniugalis. Est continentia vidualis. Est virginitas carnis que, si habeat secum munditiam mentis, valet; alias non valet. Singule bone sunt.

VITAM PRESTA PURAM, id est in puritate mentis, ITER PARA TUUM ut in via videlicet nos constitutos non impediant iter nostrum currendo ad Deum latrunculi spirituales, id est demones, UT VIDENTES IESUM, manifesta visione scilicet, SEMPER COLLETEMUR, id est cum eo letemur.

39. AGATHE SACRE VIRGINIS DIEM FESTUM COLIMUS IN QUO DEVICTO TYRANNO PALMAM SUMIT MARTYRII.

QUINTIANUS TYRANNUS CONSULARIS SECILIE, ibi gerebat officium presidatus, AUDIENS FAMAM VIRGINIS, bonam et sanctam, FREMERE CEPIT INVIDUS, id est fremendo dolere. INVIDUS dico, quia Christianis invidebat. Invidus est diabolus, cuius invidia mors intravit in mundum, et eius membra invident omni bono.

VITIORUM AFFECTIBUS MENTEM VEXABAT INVIDAM UT DEO DICATAM VIRGINEM RABIDO ORE PERIMERET trahendo eam ad ydolatriam vel ad martyrium.

STATIM ASSUNT MINISTRI EIUS QUI VELLENT eam PANDERE, id est manifestare, RELIGIONEM SANCTISSIMAM, QUAM TENET AB INFANTIA.

---

35 CEPIT *suprascr. gl.* γ e anxietate mentis

1-2 Raban. M. *Alleg.* s.v. 1-2 Eph. 2.20 3-5 1 Cor. 3.11 20-21 Nm. 12.3

SISTI IUBET MARTYREM SUIS TRIBUNALIBUS, id est presentari, ET EAM SIC ALLOQUITUR UT DIIS CERVICEM FLECTERET, id est deos adoraret.

SET DUM NIL VALET INSANIA, id est dum non potest
5   perficere quod intendit, IN MAMMA TORQUET VIRGINEM ET TESTAS ACUTISSIMAS IGNI SUCCENSAS ADHIBET. In hiis verbis notat duo tormenta.

CUIUS /171v/ MEDENDIS ARTUBUS SANCTUS ADEST APOSTOLUS, id est Petrus, QUI VERBO CURAT VULNERA QUE
10 TYRANNUS INFLIXERAT.

DE HINC AD SEPULCHRUM VENIENS IUVENIS SPLEN-DIDISSIMUS, forte angelus eius in forma iuvenis apparens, MENTEM SANCTAM PREDICAT PATRIEQUE SALUTEM PLURIMAM. Reliquit enim verba hec scripta: *mentem sanctam,*
15 *spontaneam, honorem Deo et patrie liberationem.* Tabulam ubi erat scriptura ista reliquit ad sepulchrum eius et abscessit. Verba illa sic possunt intelligi: mentem sanctam, spontaneam habuit beata Agatha, et spontaneam quia ex devota voluntate Deum dilexit, coluit, adoravit, quasi diceret iuvenis movendo ut illi et nos similiter faciamus, ut cum
20 illa ad gloriam veniamus. Honorem Deo exhibuit, quem negare noluit, set pro eo martyrium elegit et patrie liberationem impetravit, quia cum de Ethna ignis eructaret properans ad Cathecnensium civitatem, tulerunt velum contra ignem et sic liberata est civitas.

40.   ALMI PROPHETE PROGENIES PIA. In honore beati
25 Iohannis baptiste decantatur hymnus iste, ad quem sermo dirigitur, et secundum hoc: subaudi, exaudi, vel aliquit tale. Si sint nominativi casus, sic lege PROGENIES PIA, id est Iohannes, est vel fuit CLARUS PARENTE.

ALMI PROPHETE, id est Zacharie, qui propheta fuit sicut patet
30 ex cantico eius, ubi inter alia que pertinent ad prophetiam dicit: *Et tu, puer, propheta altissimi vocaberis* et cetera. *Theosebia* Grece, *cultus Dei* Latine; idem est pietas aput Latinos. Unde infideles dicuntur impii, de quibus in psalmo legitur: *Ideo non resurgunt impii in iuditio,* id est ut iudicentur, quia qui non credit iam iudicatus est.
35 Pietas quandoque in alio sensu intelligitur, sicut in enumeratione septem donorum Spiritus Sancti. Et in apostolo: *Magnum pietatis sacramentum* et cetera. Inde dicitur pius, id est dulcis, benignus, et misericors.

---

28 PARENTE *marg. gl.* ζ^i Quandoque relativum refertur non ad nomen positum
40 sed sub intellectum ut in psalmo: *Remisisti iniquitatem plebis tue, operuisti omnia peccata eorum.* Ita nomen adiectivum innititur interdum non substantivo posito sed sub intellecto sicut in hoc loco.

38 misericors *suprascr. gl.* γ^i In hoc sensu dicitur Deus pius, utroque modo Iohannes potest dici pius quia et vere coluit Deum et benignus fuit et misericors.

14-15 *Acta S. Agath.* 13   22-23 Cf. *Acta S. Agath.* 15   30-31 Lc. 1.76   31-38 Cf. Petr. Lomb. *Sent.* 3.35.1   33-34 Ps. 1.5   36-37 1 Tim. 3.16   40-41 Ps. 84.3

CLARUS PARENTE, id est nobilis. Bonus pater nobilitat filium, i non degenerat. Si autem degenerat, pocius decorat, quia sapiens ɔater ignominia est stulto filio.

ET NOBILIOR PATRE, quia pater fuit propheta, et filius ɔropheta et plusquam propheta: virgo, martyr, et predicator et ɔaptista. Plusquam propheta fuit sicut Dominus ait, quia eum ɔresentem demonstravit quem alii ignorabant dicens: *Ecce agnus Dei, ɣui tollit peccata mundi.* Et quia virgo, martyr, et predicator fuit, riplicem habet coronam centesimam. Unde in quodam hymno: ЅERTA TERDENIS ALIOS CORONANT, id est coniugatos, qui ɩabebunt fructum trigesimum. Aucta crementis dupplicata quosdam, d est continentes, qui habebunt sexagesimum fructum. Trina centeno ɔumulata fructu te, sacer, ornant, id est quia fuisti virgo, martyr et ɔredicator, trino gaudes fructu centesimo.

QUEM MATRIS ALVUS CLAUDERE NESCIUS, id est celare, ORTUS HERILIS PRODIDIT INDICEM. Sensus est: PRODIDIT, id est monstravit, Iohannem per eius exultationem, INDICEM, ab ⁱndicando, ORTUS HERILIS, id est ortus Domini. Herus enim Dominus dicitur. /172r/ Ortum, dico, qui in utero fuit, non qui ex utero. Unde angelus: *Quod enim in ea natum est de Spiritu Sancto est.* Audi Elizabeth dicentem: Ex quo *facta est vox salutationis tue in auribus meis, exultavit infans in utero meo.*

CUM VIRGINALIS REGIAM GLORIAM SUMMI TONAN-TIS NOMINE PIGNORIS GESTARET AULA. Ordo talis est: CUM VIRGINALIS AULA, id est uterus virginis, GESTARET GLORIAM SUMMI TONANTIS, id est verbum, Filium Dei Patris. Filius enim sapiens gloria est Patris. REGIAM GLORIAM dicit, quia Filius rex est. Unde in canticis canticorum: *Introduxit me* rex *in cellam vinariam.* Item: *Rex regum et Dominus dominantium.* NOMINE PIGNORIS, id est nomine Filii, quem enim habuit ante conceptionem per inhabitantem gratiam, a conceptione hunc habuit ut filium.

NOBILIS INTIMO. Aula, dico, nobilis, id est uterus virginis, qui nobilis dicitur propter nobilem hospitem, propter magnum habitatorem, quia quem totus orbis capere non poterat in modico utero se conclusit ineffabilis humilitas. Helyseus se contraxit super membra defuncti ut eum resuscitaret, set Filius Dei magis se humiliavit ut hominem mortuum ad vitam revocaret.

---

19 dicitur *marg. gl.* γ *Heroes* dic*untur fortes viri.* Unde: *Heroicum carmen* dicitur; ergo describ*untur gesta fortium virorum.* Dominus autem merito heros vel herus dicitur quia fuit fortis, potens in proelio.

2-3 Cf. Prv. 17.21 6-7 Io. 1.29 10 Cf. Mt. 13.8, 23; Mc. 4.8, 20 18 Isid. *Orig.* 10.147; cf. Pap. *Glossar.* s.v. 19 Cf. Ambr. *Spir.* 2.5.42; Petr. Lomb. *Sent.* 3.4.2 20-21 Mt. 1.20 21-22 Lc. 1.44 28 Cf. Iob 29.1; Raban. M. *Alleg.* s.v. 28-29 Ct. 2.4 29-30 1 Tim. 6.15; Apc. 19.16; cf. Dt. 10.17; Apc. 17.14 31 Cf. Petr. Lomb. *Sent.* 3.10.2, 3.13, 3.18.3 35-36 Cf. 4 Rg. 4.34-35 38-40 Isid. *Orig.* 1.39.9

H

NOBILIS videlicet INTIMO. Hoc nomen INTIMO adiectivum
est et hic adiective ponitur propter subintellectionem certi sustantivi.
Simile habes in Ovidio: *Regia solis erat sublimibus alta columpnis.*
Regia tandem adiectivum est et ibi adiective ponitur propter subintellectionem huius certi substantivi, scilicet *aula.* Idem habes in
hymno apostolorum Petri et Pauli: TRINIS CELEBRATUR VIIS
FESTUS SACRORUM MARTYRUM. Ita in hoc loco subauditur
fructu. Fructus enim intimus, id est qui latebat intus, in utero reddebat
aulam nobilem.

CLAUSTRUM PUDORIS FERTILIS INTEGRO. Pro eodem
accipit aulam et claustrum, set CLAUSTRUM vocat, quia Filius Dei
se artavit in utero clauso. CLAUSTRUM PUDORIS, id est virginitatis, FERTILIS, id est fecunde. Virginitas et fecunditas sibi
repugnant, set Dominus nature potest mutare naturam. FERTILIS
INTEGRO, scilicet corpore secundum expositionem predictam. Si vis
illa duo adiectiva poni sustantive, ita lege: INTIMO, id est intima
re, id est fructu; INTEGRO, id est integra re, id est corpore. Idem
sensus est, set prior expositio magis congrua est et subtilior secundum
rationem gramaticam.

VOX SUSCITAVIT MISSA PUERPERE FOVITQUE VATIS
GAUDIA PARVULI. Senus talis est: VOX PUERPERE, id est beate
Marie, SUSCITAVIT et FOVIT GAUDIA VATIS PARVULI, ad hoc
ut cognosceret adventum Domini et gauderet. Gloriosa virgo veniens
ad cognatam suam salutavit eam, ex quo *facta est vox salutationis,*
exultavit infans in utero.

MATRES PROPHETANT MUNERE PIGNORUM. Quasi hoc
datum est filiis pro munere, non ex meritis set ex gratia, ut matres
prophetarent. Maria prophetavit, sicut apparet ex cantico eius in
pluribus locis. Elizabet prophetavit dicens: Ex quo *facta est* et cetera.
Item: *Unde hoc ut mater Domini mei ad me veniat?* /172v/ Et iterum:
Beata que credidisti et cetera.

Aliter: MATRES PROPHETANT MUNERE PIGNORUM, id
est de munere filiorum, id est dato filiis. Hoc munus datum fuit
Iohanni ut exultaret ad adventum redemptoris, de quo ipsa prophetavit. Munera fuerunt data bono Iesu, de quibus mater eius
prophetavit in cantico suo.

MUTUS LOQUUTUS NOMINE FILII EST. Angelus dixit
Zacharie: *Pro eo quod non credidisti verbis meis, eris tacens et non*
poteris loqui usque in diem nativitatis eius. Cumque inquirerent de
nomine imponendo, *postulans pugillarem scripsit dicens: "Iohannes*
est nomen eius". Et statim subditur: *Apertum est ilico os* Zacharie.
Qui prius mutus fuerat locutus est nomine filii scilicet scripto. Et hec
sententia colligitur ex littera sequente.

---

3 Ov. *Met.* 2.1   24-25 Lc. 1.44; cf. Lc. 1.41   26-28 Cf. Petr. Com. *Hist.* 3   28
Cf. Lc. 1.46-55   29 Lc. 1.44   30 Lc. 1.43   31 Lc. 1.45   34 Cf. Lc. 1.47   35-36 Cf.
Lc. 1.51-55   38-39 Lc. 1.20   40-41 Lc. 1.63   41 Lc. 1.64

SCRIBENDUS HIC EST et cetera. Quod autem huiusmodi suppletio soleat fieri in sacra pagina exemplis ostendimus. In psalmo legitur: *Non in sacrificiis tuis arguam te;* supplendum est *non exibitis.* Item in alio: *Qui confidunt in virtute sua* et cetera; subintelligitur in principio: *quidam sunt qui confidunt* et cetera. Et iterum: *Elegit* 5 *nobis hereditatem suam* dare scilicet. Item alibi: *Ut saciati cesset murmuratio eorum,* id est ut cum saciati fuerint et cetera, nisi forte quis dicat quod *saciati* sit ibi nominativus absolutus, sicut ibi: ubera de celo plena. Set secundum hoc subintelligendum est *illi* vel aliquid tale, quia nominativus vel ablativus absolutus non ponitur per se, 10 nisi propter subintellectionem alicuius dictionis. Item in canone misse: *Hic est calix sanguinis mei novi testamenti;* subauditur *confirmator.* Et in psalmo: *Et habundavit* scilicet *misericor*dia *ut averteret* et cetera.

Aliter: MUTUS LOCUTUS NOMINE FILII EST, id est de nomine filii imponendo, scilicet per scripturam, quando videlicet 15 scripsit: *Iohannes est nomen eius.* Vel forte recuperato officio lingue, qui prius fuerat mutus nomen expressit ore proprio.

SCRIBENDUS HIC EST et cetera. Notandum quod est scriptura exterior que omnibus nota est; est interior que fit in corde. De qua in apocalipsi: *Scribe: "Beati mortui"* et cetera, id est in mente firmiter 20 conde. Item Iob ad Dominum: *Scribis contra me amaritudines.* Quod loquimur cito transit; quod scribimus firmius tenetur. Dominus autem scribit contra hominem amaritudines, quando super eos firmat flagella sua. Item: *Audi, Israel, precepta Domini* et ea in corde tuo quasi in libro scribe. Dicatur ergo SCRIBENDUS HIC EST. Idem 25 Iohannes firmiter inprimendus est in corde nostro.

VOCIS UT AUGEAT NOSTRE CANORES, quasi ut, sicut factum est in Patre gratia Filii per scripturam exteriorem, ita fiat in nobis propter scripturam interiorem. Et hoc est ut augeat canores nostre vocis non solum exterioris, set potius interioris, que valet sine 30 illa; illa vero nichil aut modicum valet sine ista. De qua Deus ad Moysem: *Ut quit clamas ad me? Et Susanna exclamavit voce magna.* Melius est scribere in carta cordis quam in carta pecoris. Cum itaque Zacharie profuit scriptura exterior, prodesse nobis interior debet. Scriptura quoque est in lingua, id est in pronuntiatione verborum, 35 quibus quandoque laudamus /173r/ Deum et etiam sanctos eius. Et secundum hoc potest legi littera ista SCRIBENDUS HIC EST, id est voce nostra laudetur.

DURAQUE VINCULA DISSOLVAT ORIS, LARGA PROPH-ETICIS VERBORUM HABENIS LITTERA NOMINIS. Propter 40 legem metri oportet ut LITTERA sit nominativi casus; sic ergo

---

3 Ps. 49.8   4-5 Ps. 48.7   5-6 Ps. 46.5   6-7 Nm. 20.6   12 *Can. Miss.*   13 Ps. 77.38   16 Lc. 1.63   17 Lc. 1.64   20 Apc. 14.13   21 Iob 13.26   24 Dt. 4.1; cf. Ex. 17.14; Prv. 7.3; 2 Cor. 3.2-3   32 Ex. 14.15   32 Dn. 13.24   33 Cf. Prv. 7.3; 2 Io. 12; 3 Io. 13

---

2 fieri: fier, *cod.*

ordinetur constructio: LITTERA NOMINIS LARGA PROPHET-
ICIS VERBORUM HABENIS DISSOLVAT DURA VINCULA
ORIS. Littera ista obscura est et, ut michi videtur, exponenda est
secundum tropum loquendi quo significans ponitur pro significato
5 vel nomen pro re quam appellat. In psalmo legitur: *Beatus vir cuius*
est nomen Domini, spes eius, id est res nominis. Et in alio: *Psallite*
nomini eius, quoniam suave, id est res nominis. Et in actibus apostolorum: Non *est aliud nomen sub celo in quo* sit salus, id est in cuius
re. Et dicitur quod quedam vocabula conveniunt Deo ab eterno, id
10 est significata vocabulorum, quia vocabula non sunt ab eterno.
Secundum hunc tropum legatur littera ista.

In canone misse habetur: *Iube,* Domine, istud de*ferri in sublime*
altare tuum sociandum corpori tuo. Uno modo ita exponitur, id est
ut unitas ecclesie, que signatur et efficitur corpore Christi, quod hic
15 est, associetur corpori Christi, id est ecclesia militans ecclesie trium-
phanti, et est quedam figura per quam quod est figurati attribuitur
figuranti. Sciendum autem quod *littera,* licet descriptive dicatur
minima pars vocis articulare, ponitur quandoque tamen quasi
collective, ut cum dicitur littera veteris testamenti vel novi et sicut
20 modo supra diximus. Dicatur ergo LITTERA NOMINIS, id est littera
que est nomen, scilicet Iohannes, per endiadim.

Vel LITTERA NOMINIS, id est nomen constans ex litteris quod
interpretatur gratia Dei et cetera. In evangelio legitur: *Beatus es*
Symon bariona. Bariona interpretatur filius columbe: *bar,* filius; *ionas,*
25 columba. Columba significat Spiritum Sanctum, et ita Petrus dicitur
bariona, id est filius Spiritus Sancti, scilicet per regenerationem. Sic
ergo mediantibus his duobus, id est interpretatione et significatione,
dicitur filius Spiritus Sancti.

Simili modo per hoc nomen Iohannes intelligitur *gratia Dei,*
30 mediante interpretatione. Dicatur ergo: Gratia Dei DISSOLVAT
DURA VINCULA ORIS. Vincula diaboli, id est peccata, que interdum linguam astringunt ut homo non loquatur de Deo, aut propter
negligentiam aut propter malam conscientiam, ne dicatur ei: *Medice,*
cura te ipsum, aut nec etiam laudet Deum, quia non est speciosa laus
35 in ore peccatoris. De vinculo diaboli dicitur in psalmo: *Funes pec-*
catorum circumplexi sunt me. Et in Ysaya: *Ve qui trahitis iniquitatem*
in funiculis vanitatis. Et alibi: *Funibus peccatorum suorum const-*
ringitur peccator. De vinculis Dei dicit Salomon: *Funiculus triplex*
difficile rumpitur, id est fides, spes, caritas. Vel ex littera que statim
40 sequitur colligas expositionem: *Melior est puer pauper et sapiens rege*
sene et stulto. Vincula Dei sunt: pueritia que videlicet est in puritate
cordis, paupertas voluntaria scilicet et humilis, sapientia non carnis

5-6 Ps. 39.5   6-7 Ps. 134.3   8 Act. 4.12   12-13 *Can. Miss.*   12-17 Cf. Petr. Lomb.
Sent. 4.8.4, 4.13.1   17-18 Isid. *Orig.* 1.15; Pap. *Glossar.* s.v.   23-24 Mt. 16.17   24-25
Isid. *Orig.* 7.9.4   25-26 Cf. Raban. M. *Univ.* 3.2   29 Isid. *Orig.* 7.9.5   30-31 Cf. Petr.
Lomb. *Sent.* 3.19.1   33-34 Lc. 4.23   35-36 Ps. 118.61   36-37 Is. 5.18   37-38 Prv.
5.22   38-39 Ecl. 4.12   40-41 Ecl. 4.13

set Spiritus quam docet sapientia Dei. Iste *funiculus difficile rumpitur.* Gratia itaque Dei DISSOLVAT et dirumpat DURA VINCULA diaboli, que claudunt os.

Gratia, /173v/ dico, LARGA PROPHETICIS VERBORUM HABENIS, id est larga prophetarum vaticiniis. HABENIS dicit, quia 5 sicut habenis regitur equus, sic Spiritu Sancto verba prophetarum ut quandoque sint prophetica, quandoque non. Unde Amos propheta dicit: *Non sum propheta,* id est modo non habeo Spiritum ad prophetandum. Item cum Nathan venisset ad David, David dixit ad eum: *Habito in domo cedrina,* et *archa Domini* adhuc *sub pellibus* 10 *est;* volo edificare domum Domini. Et dixit Nathan: *Fac* quod bonum est in oculis tuis, quia Dominus *tecum est.* Set Dominus cum postea revocasset verbum, Nathan dixit ad David: *Hec dicit Deus: "Non edificabis michi domum",* set filius qui egredietur de lumbis tuis. Balaam prophetice dixit: *Orietur stella ex Iacob* et cetera. Set pessi- 15 mum dedit consilium Balac ut mitteret scandalum in filios Israel, edere et fornicari.

Aliter, ab illo loco: DURAQUE VINCULA et cetera. Hoc nomen Iohannes compositum est ex hoc nomine Anna, quod inter- pretatur gratia, et quodam nomine Dei, unde Iohannes interpretatur 20 gratia Dei. Illud nomen notatur per hoc quod dicit LITTERA, quasi littera huius nominis Iohannes, id est nomen Dei, quod est in compositione huius nominis. Dicatur ergo: LITTERA, id est res littere, id est Deus, DISSOLVAT DURA VINCULA ORIS; hoc non mutatur. Res, dico, LARGA et cetera, nec hoc mutatur. 25

Aliter: LITTERA NOMINIS, id est hoc nomen Iohannes secundum expositionem premissam, id est significatum nominis, id est ipse Iohannes secundum tropum superius dictum, DISSOLVAT DURA VINCULA ORIS meritis et precibus suis; non mutatur sensus illius littere. Iohannes dicitur largus, id est largiter dotatus a Deo 30 PROPHETICIS VERBORUM HABENIS, id est verbis propheticis. HABENIS dicit, quia ita regebat verba sua quod non omnibus manifeste annuntiabat Christum. Illis enim manifeste predicavit Christum quibus dixit: *Ecce agnus Dei, qui tollit peccatum mundi.* Obscurius predicabat illis quibus dicebat: *Veniet fortior me* post me, 35 et multa alia in hunc modum, que colligi possunt ex evangelio. Vel largus dicitur, quia magna largitate prophetavit Christum quibusdam manifestius, quibusdam obscurius, sicut evangelium testatur. LARGA ponitur femino genere propter illud substantivum LITTERA, cui innititur secundum vocem, vel ita legatur LITTERA. 40

---

20 Dei *marg. gl.* γ[i] Cum Ieronimus enumerat decem nomina Dei que sunt apud Hebreos inter alia ponit hoc nomen *Ia.* Et forte ponitur in compositione huius nominis Iohannes ut mutetur *a* in *o* propter cacenphaton vitandum.

1 Ecl. 4.12   8 Am. 7.14   9-14 1 Par. 17.1-4; cf. 1 Par. 17.11-12   15 Nm. 24.17 15-17 Cf. Nm. 22.6-12, 23.23   19-20 Isid. *Orig.* 7.6.59   20-21 Isid. *Orig.* 6.19.19   34 Io. 1.29   35 Lc. 3.16; cf. Io. 1.30

35 post me: post me post me, *cod.*

LITTERA NOMINIS, id est littera compositi nominis, id est
ex qua componitur hoc nomen Iohannes. Hoc est Anna et quoddam
nomen Dei, id est significatum littere, quod est gratia Dei, DIS-
SOLVAT et cetera; alia non mutantur.

5   VOX NAMQUE VERBI VOX SAPIENTIE EST, quasi gratia
Dei larga fuit prophetis et inter alios larga fuit ipsi, quia ipse in
sapientia Dei. Qui fuit vox verbi de sapientia Dei prophetavit,
predicavit et alia in omnibus sapienter egit.

Unde dicit VOX NAMQUE VERBI VOX SAPIENTIE EST
10   MAIOR PROPHETIS. Non dicit *omnibus* nec hoc conici potest ex
verbis Domini, qui dixit: *Inter natos mulierum non surrexit maior
Iohanne baptista.* Alibi tamen dicit: Ipse venit *in spiritu et virtute
Helye.* Ex quibus verbis quidam colligunt quod Helyas fuit ei equalis
in sanctitate, set hec verba non videntur cogere, quia intelliguntur
15   de Spiritu Sancto, quem habuerunt Helyas et Iohannes. Et potest esse
quod equales fuerunt in meritis; potest etiam esse quod unus habuit
in maiori gratia, alter in minori. /174r/

ET MINOR ANGELIS. Dominus dicit hoc de Iohanne, quia
angeli iam confirmati erant, et ipse adhuc erat in via. Augustinus
20   dicit: *Excepta* beata *virgine, de qua* non est loquendum *cum agitur
de peccato.* Si dixerimus quia peccatum non habemus, nos ipsos
seducimus, et veritas in nobis non est. Unde sic intelligendum est
MINOR ANGELIS, id est minus securus quam angeli. Vel minor
angelis quantum ad caritatem, quia in patria maior est caritas quam
25   in via, et eorum qui sunt in via in premio augebitur multum caritas.
Unde propheta: Vivit *Dominus, cuius ignis in Syon et caminus in
Ierosalem.*

QUI PREPARAVIT CORDA FIDELIUM ad suscipiendum
Christum predicando penitentiam STRAVITQUE RECTAS IUS-
30   TICIE VIAS. Iusticia, si sine caritate est, virtus non est, nec eius vie,
id est opera, recte sunt, id est meritorie ad vitam. Ipse vero STRAVIT
VIAS, id est paravit, ut essent in caritate et ita meritorie. Phariseis
querentibus quid esset dixit: *Ego vox clamantis in deserto: "Dirigite
viam Domini", sicut dixit Ysayas propheta: "Rectas facite semitas
35   eius".* Ex illo loco tractum fuit quod hic legitur STRAVITQUE
RECTAS IUSTICIE VIAS, id est paravit auditores predicando
penitentiam ut facerent bona opera Dei, que est summa iusticia.

---

5 VOX[1] *marg. gl.* γ[i] Ut satis fiat minoribus quos turbat expositio prolixa, litteram
istam breviter exponamus tropice tamen, quia aliter non potest exponi. Gratia Dei
40   que intelligitur per interpretationem LITTERA NOMINIS, id est hoc nomine Iohannes,
LARGA PROPHETICIS VERBORUM HABENIS, id est dictis prophetarum, quos
regebat sicut equus regitur habenis, DISSOLVAT DURA VINCULA ORIS, id est
peccata, que claudunt os vel ad confessionem peccati vel laudis.

2-3 Isid. *Orig.* 6.19.19, 7.6.59   11-12 Mt. 11.11   12-13 Lc. 1.17   13-17 Cf. Ambr.
In Luc. 1.36-37   20-21 Aug. *Nat. et Grat.* 36.42; cf. Petr. Lomb. *Sent.* 3.3.2   26-27 Is.
31.9   29-30 Cf. Ambr. *In Ep. ad Rom.* 14.1; Petr. Lomb. *Sent.* 4.15.7, 4.46.3   32-33
Dt. 19.3   32-33 Io. 1.23; cf. Is. 40.3; Mt. 3.3; Mc. 1.3; Lc. 3.4

ASSERTOR EQUI, id est equitatis, NON OPE REGIA NEC MORTE DURA LINQUERE TRAMITEM VERI. Herodias, quia Iohannes dampnabat adulterium eius, laborabat ad mortem eius et ad hoc habebat opem regis, set ille non ideo linquebat tramitem veri, id est veritatis, pro qua passus est et dicebat NON LICET TIBI HABERE UXOREM FRATRIS scilicet viventis ADULTERAM.

HINC IRA REGIS. Ex his verbis colligitur quod, licet habuit vultum contristati, mentem tamen non habuit. Quod ergo dicit evangelium referendum est ad exteriorem apparentiam. Nec illud iuramentum erat observandum, cum esset illicitum.

SEVAQUE FUNERA prophete. SEVA dicit propter crudelitatem eorum.

MENSAS TYRANNI ET VIRGINIS EBRIUS LUXUS RE-PLEVIT SANGUINE SOBRIO. Ordo constructionis talis est: LUXUS VIRGINIS, id est lascivia sine qua non fit huiusmodi saltatio, EBRIUS, scilicet potu diaboli, REPLEVIT MENSAS TYRANNI SOBRIO SANGUINE, id est sobrii prophete.

HEC VITRICUS DAT DONA VESANIOR QUAM SI VENENI POCULA TRADERET. Gravius peccatum est occidere iustum quam iniustum, quia iustus prodest vita et doctrina. Iniustus autem per verba et facta corrumpit alios, quia corrumpunt bonus mores prava col-loquia. Occidendo quoque iustum videtur contempnere Dominum, cuius ipse servus est. Unde: *Qui vos spernit me spernit.*

NEGARE PRESTAT QUAM DARE VITRICUM et cetera, quasi satius esset negare quam dare, odisse quam sic amare.

41. APOSTOLORUM PASSIO DIEM SACRAVIT SECULI, id est diem secularem, PETRI TRIUMPHUM NOBILEM, PAULI CORONAM PREFERENS, id est extollens vel preferens aliis. Apostoli enim Petrus et Paulus ex audatia magna et fortitudine admirabili invaserunt Romam, capud mundi, et pugnam elegerunt contra principem eius. Laboraverunt contra Symonem magum usque ad mortem eius. Petrus, passus in cruce, Paulus, decol/174v/latus, morte vicerunt hostes et meruerunt principatum Rome, sicut hodie videmus. Non est ergo mirandum si eorum passio preferenda sit aliis.

CONIUNXIT EQUALES VIROS, scilicet meritis, CRUOR TRIUMPHALIS NECIS; DEUM SECUTOS PRESULES CHRISTI CORONAVIT FIDES, id est fides et opera fidei cum gratia fuerunt causa corone eorum.

---

7 HINC *marg. gl.* γ Ambrosius in libro *De Officiis:* Estimatum est fidei esse quod fuit amicicie.

2-6 Cf. Mt. 14.1-12; Mc. 6.14-29; Lc. 9.7-9 17-20 Cf. Petr. Lomb. *Sent.* 3.20.3-4 23 Lc. 10.16; cf. Mt. 10.40; Io. 13.20 29-33 Cf. Act. 8.9-24, 28.11-31 40-41 Cf. Ambr. *Off.* 21

PRIMUS PETRUS APOSTOLUS, id est princeps apostolorum, NEC PAULUS IMPAR GRATIA ELECTIONIS VAS SACRE, quia electus est a Christo *ut portaret nomen* suum *coram regibus et* principibus *et filiis Israel.* Vel vas electionis dicitur propter habundantem scientiam veteris ac nove legis, quam ipse habuit.
VERSO CRUCIS VESTIGIO SYMON HONOREM DANS DEO. Verti fecit lignum crucis ut capud eius esset in inferiori parte, pedes in superiori, ne pateretur sicut Dominus, in hoc ei deferens.
SUSPENSUS ASCENDIT DATI NON INMEMOR ORACULI, id est verbi prophetici, quod ei dixerat Dominus: *Cum esses iunior, cingebas te et ambulabas ubi volebas; cum autem senueris, alius te cinget et ducet quo tu non vis.*
Unde subdit PRECINCTUS, UT DICTUM EST a Domino, SENEX EST ELEVATUS AB ALTERO QUO NOLLET, scilicet secundum sensualitatem ivit, SET VOLENS, secundum Romanos, MORTEM SUBEGIT ASPERAM.
HINC ROMA CELSUM VERTICEM DEVOTIONIS EXTULIT, id est devotionem in altum elevatam. Vel per verticem intelligit mentem, que est superior pars anime, quasi mentem devotam.
FUNDATA TALI SANGUINE, scilicet Petri, ET VATE TANTO NOBILIS, videlicet Paulo.
TANTE PER URBIS AMBITUM, id est per urbem tanti ambitus, STIPATA TENDUNT AGMINA; TRINIS CELEBRATUR VIIS FESTUS SACRORUM MARTYRUM, id est festus dies. Quidam sic exponunt: Quidam veniunt ad beatum Petrum, quidam ad beatum Paulum, quidam ad cathacumbas ubi diu quieverunt corpora apostolorum. Alii sic: Est via ab occidente que dicitur triumphalis, que ducit ad beatum Petrum; est alia que ducit per pontem castelli crescentis; est tercia que per pontem Petrinum, iuxta sanctum Bartholomeum, ducit ad sanctum Petrum. Secundum spiritualem intelligentiam, tres vie dicuntur via trium dierum, de qua legitur in exodo: *Ibimus viam trium dierum ut* sacrificemus *Deo nostro.* Tres iste vie: contricio, confessio, satisfactio; iste necessarie sunt visitantibus sanctorum limina. Alioquin non multum prodest visitatio.
Aliter: Tres sunt vie diaboli, de quibus ait Iohannes in canonica sua: *Concupiscentia carnis, concupiscentia oculorum, superbia vite.* Contra istas tres vias diaboli tres vias Dei queramus: contra concupiscentiam carnis, id est voluptatem carnis, arripiamus continentiam; contra concupiscentiam oculorum, id est vanitatem seculi, eligamus contemptum vanitatis; contra superbiam, humilitatem. Sine hiis non prodest sancta peregrinatio.

3-4 Act. 9.15   10-12 Io. 21.18   16 Cf. Rm. 15.23   31-32 Ex. 3.18   37 1 Io. 2.16

---

4 habundantem: habuntem, *cod.*
6 VESTIGIO: vestio, *cod.*

PRODIRE QUIS MUNDUM PUTET, id est aliquis, CON
CURRERE PLEBEM POLI, id est maximam multitudinem ecclesie.
ELECTA GENTIUM CAPUT ante conversionem suam scilicet
SEDES est MAGISTRI GENTIUM post conversionem.

42. APOSTOLORUM SUPPAREM LAURENTIUM ARCH-   5
IDIACONEM. Secundum Papiam *suppar* dicitur quasi *sub aliquo
par.* Beatus Laurentius suppar dicitur apostolorum quasi sub eis par,
id est subiectus par. Subiectus propter dignitatem eorum, par propter
/175r/ asperitatem gravis martyrii.

PARI CORONA MARTYRUM, id est equali vel communi,   10
ROMANA SACRAVIT FIDES, id est fides Romane ecclesie.

SIXTUM SEQUENS HIC MARTIREM, qui trahebatur ad
martyrium, RESPONSA VATIS RETULIT, id est Sixti, qui prophetavit de martirio eius.

MERERE, FILI, DESINE. Dicebat enim: *Quo progrederis sine*   15
filio, pater et cetera. SEQUERIS ME POST TRIDUUM.

NEC TERRITUS PENE METU, id est metu martirii, HERES
FUTURUS SANGUINIS, id est passionis, SPECTAVIT OBTUTU
PIO QUOD IPSE MOX PERSOLVERET, id est oculis interioribus.
Vel spectavit, id est exspectavit mente hylari et oculo pio et cetera.   20

IAM TUNC IN ILLO MARTYRE EGIT TRIUMPHUM
MARTYRIS. Videbat passionem patris et cruciabatur de dolore eius,
set completo martyrio gavisus est de victoria eius et illam quasi suam
reputabat. Unde subdit EGIT TRIUMPHUM MARTYRIS. Aliter:
Videns martyrium patris immenso affectu, desiderio, et firmo   25
proposito suspirabat ad martyrium ita ut iam ei videretur quod iam
triumphasset quasi securus de triumpho.

SUCCESSOR EQUUS SINGRAPHAM VOCIS TENENS ET
SANGUINIS. Successor equus dicitur heres qui succedit in universum
ius quod defunctus habuit. Beatus vero Laurentius non solum in hoc   30
successit, set longe gravius fuit eius martyrium quam beati Sixti,

---

3 ELECTA *suprascr. gl.* ϴ scilicet civitas
20 spectavit *marg. gl.* β id est aspexit martyrium Sixti quod ipse et cetera. Simplex
relatio est sicut ibi mulier que dampnavit salvavit; alia enim dampnavit, alia salvavit.
21 EGIT *marg. gl.* β In evangelio legitur de Domino: *Et factus in agonia prolixius*   35
orabat, id est in certamine contra mortem, quam iam vicerat animo, sed victoria
consummata est actu in resurrectione.
28 SINGRAPHAM *marg. gl.* ε Singrapha dicitur a *sin,* quod est con, et *graphus*
sive *graphia,* quod est scriptura, unde ortographia, id est recta scriptura. Est itaque
singrapha, id est una de pluribus scriptura, sicut est testamentum in quo instituitur   40
heres, relinquuntur legata et fidei commissa, et acta ordinantur. Et quia in testamento
principalis est institutio heredis, ideo hic pre testamentum accipit hereditatem, scilicet
spiritualem, in qua successit Laurentius Sixto. Dicatur ergo TENENS SINGRAPHAM,
id est hereditatem, VOCIS, ad vocandum scilicet contra tyrannum, SANGUINIS, ad
paciendum.   45

6-7 Pap. *Glossar.* s.v.   15-16 Ambr. *Off.* 1.41   28-31 Cf. Ambr. *Off.* 1.41   35-36
Lc. 22.43   39 Pap. *Glossar.* s.v.

---

29 equus: equs, *cod.*

et ita crevit eius successio, hereditas videlicet spiritualis. SINGRAP-
HAM vocat scripturam, set hec scriptura fuit in carta cordis, non
in carta pecoris. De qua apostolus dicit Corinthiis: *Vos estis epistola
Christi scripta, non in tabulis lapideis, set tabulis cordis carnalibus.*
Vocem dicit verba prophetica que beatus Sixtus dixerat de martyrio
Laurentii. Laurentius dixerat: *Quo progrederis sine filio, pater,* et
cetera. Beatus Sixtus respondit: *Non ego te desero, fili,* neque *dere-
linquo, set maiora tibi debentur* pro fide Christi *certamina, post
triduum me sequeris.* Hec verba memoriter tenebat et de martyrio
gaudebat. Quia scriptura sit in corde, habes ex verbis angeli in
apocalipsi: *Scribe: "Beati mortui"* et cetera. Et quoniam verba illa
exprimebant martyrium eius futurum, inde magis memorie com-
mendabat, et ideo dicit ET SANGUINIS, id est passionis. Vel forte
vocem accipit verba Sixti que proferebat contra tyrannum in passione
sua, que memoriter tenebat ut secundum illa instrueretur in tormento
suo qualiter sua deberet formare. Sic ergo lege TENENS memoriter
scripturam VOCIS, secundum ultimam expositionem, ET scripturam
SANGUINIS, id est passionis predicte a Sixto.

POST TRIDUUM IUSSUS TAMEN CENSUS SACRATOS
PRODERE, SPONDET PIE NEC ABNUIT, id est non contradicit,
ADDENS DOLUM VICTORIE. Est bonus dolus et est malus dolus.
De bono dolo habes exemplum in Salomone, qui petiit gladium ut
veram deprehenderet matrem, quod et fecit. Iehu, rex Israel, simulavit
se velle adorare Baal et per hanc simulationem utilem congregatos
sacerdotes Baal omnes interfecit. VICTORIE dicit, quia in hoc vicit
avaritiam Decii quod ipse thesauros pauperibus erogavit.

SPECTACULUM PULCHERRIMUM EGENA COGIT AG-
MINA, /175v/ id est congregat, INOPESQUE MONSTRANS
PREDICAT: HII SUNT OPES ECCLESIE.

VERE PIORUM PERPETES INOPES PROFECTO SUNT
OPES. AVARUS ILLUSUS DOLET FLAMMAS ET ULTRICES
PARAT quasi ad vindictam iniurie sue.

FUGIT PERUSTUS CARNIFEX, incidit in foveam quam fecit,
SUISQUE CEDIT IGNIBUS. *VERSATE ME,* MARTYR VOCAT,
VORATE, SI COCTUM EST, IUBET. *Assatum est,* dicit martyr, iam
versa et manduca.

---

30 VERE *marg. gl.* β OPES PIORUM, id est misericordiam, sunt pauperes qui
elemosyne, quas eis largiuntur, faciunt eos habundare bonis meritis. Unde Dominus:
Facite vobis amicos et cetera. Sane decorum fuit et iocundum spectare tales opes quia
ad salutem valent perpetuam.
31 AVARUS *marg. gl.* β Ydropicus quanto plus bibit tanto plus sitit, quod plus
sunt pote plus siciuntur aque. Talis est avarus cui nec etiam totus mundus obolus est.

---

1 Cf. Ambr. *Off.* 1.41   3-4 2 Cor. 3.2-3   6-9 Ambr. *Off.* 1.41   7 Cf. Hbr. 13.5
11 Apc. 14.13   22 Cf. 3 Rg. 3.24   23-25 Cf. 4 Rg. 10.18-27   25-26 Cf. Ambr. *Off.* 2.28
35-36 Ambr. *Off.* 1.41   39 Lc. 16.9

43. MYSTERIORUM SIGNIFER CELESTIUM, ARCHAN-
GELE, TE SUPPLICANTES QUESUMUS UT NOS PLACATUS
VISITES. Ad beatum Michaelem dirigit orationem ecclesia, qui
locum illum putatur tenere quem haberet Lucifer, si perstitisset. Et
forte secreta celestia ei magis nota sunt quam aliis, et ideo dicit   5
MISTERIORUM SIGNIFER CELESTIUM. Et quia princeps militie
celestis dicitur, ideo dicitur signifer.
     IPSE CUM SANCTIS ANGELIS, CUM IUSTIS, CUM AP-
OSTOLIS ILLUSTRA LOCUM IUGITER QUO NUNC ORANTES
DEGIMUS, id est vivimus, quasi precibus tuis impetra a Domino   10
ut illustret lumine spiritualis gratie locum nostrum iugiter.
     CASTISSIMORUM OMNIUM DOCTORUM AC PONTIFICUM
PRO NOBIS PRECES PROFLUAS DEVOTUS OFFER DOMINO.
     HOSTEM REPELLAT UT SEVUM, id est diabolum, OPEM-
QUE PACIS DIRIGAT ET NOSTRA SIMUL PECTORA FIDES   15
PERFECTA MUNIAT, operas scilicet per dilectionem.
     ASCENDANT NOSTRE PROTINUS AD TRONUM VOCES
GLORIE, MENTESQUE NOSTRAS ERIGAT ad desiderium cel-
estium QUI SEDE SPLENDET FULGIDA, id est in sanctis angelis
et animabus glorificatis, quos ipse facit fulgere.   20
     HIC VIRTUS EIUS MANEAT, id est Filius eius per inhabi-
tantem gratiam, que dicitur brachium Patris et dextera Patris, per
quem pugnavit contra diabolum et expugnavit.
     HIC FIRMA FLAGRET CARITAS, id est ardeat, HIC AD
SALUTIS COMMODA, prestanda scilicet, SUIS OCCURRAT   25
FAMULIS.
     ERRORES OMNES AUFERAT, id est spirituales et temporales,
ut videlicet non erremus in fide nec in via morum nec in aliis que
ad salutem anime pertinent. Errores quoque exteriores tollat, qui
quandoque proveniunt ex infirmitate corporis, et alios prout viderit   30
expedire.
     VAGOSQUE SENSUS CORRIGAT et exteriores et interiores ut
non discurrant per vanitatem huius mundi aut voluptatem carnis.
     ET DIRIGAT et regat gressus nostros PER PACIS SEMITAM,
id est affectus cordis. SEMITAM dicit, quia *arta est via que ducit*   35
ad vitam.
     LUCIS IN ARCE FULGIDA, id est sancta trinitate, HEC
SACRA SCRIBAT CARMINA, NOSTRAQUE SIMUL NOMINA
IN LIBRO VITE CONSERAT.

---

4 *marg. gl. η* In apocalipsi super locum illum: *Factum prelium magnum in celo,*   40
Michael et angeli eius pugnabant cum dracone et cetera. Ibi dicitur in quadam glosa
quod omne angeli sunt ei subiecti.
     34 SEMITAM *suprascr. gl. γ* id est viam Christi qui est summa pax

---

21-23 Cf. Raban. M. *Alleg.* s.v.; Petr. Lomb. *Sent.* 3.10.2, 3.13   35-36 Mt. 7.14;
cf. Lc. 13.24   40-41 Apc. 12.7

---

27 AUFERAT: afferat, *cod.*

44.   IESU, SALVATOR SECULI, id est hominum, REDEMPTIS
OPE SUBVENI. Licet sancti iuvare possint, unde eos rogamus ut
orent pro nobis, in te et ex te est auxilium summum. Unde cum dicat
fidelis: *Levavi oculos meos* ad *montes, unde veniet auxilium michi;*
5   statim subdit: *Auxilium meum a Domino.*
ET PIA DEI GENITRIX SALUTEM POSCE MISERIS et
temporalem et spiritualem. Miseri sumus quamdiu sumus in hoc
mortali corpore, quia tribulationibus frequenter pulsamur.
CETUS OMNES ANGELICI, PATRIARCHARUM CUNEI,
10   id est collegia, ET PROPHETARUM MERITA NOBIS PRECEN-
TUR veniam. Merita dicuntur precari, quia effectum habent precum,
unde commendamus nos meritis et precibus sanctorum.
BAPTISTA CHRISTI PREVIUS, id est Iohannes, precursor
Domini, /176r/ ET CLAVIGER ETHEREUS, id est Petrus, cui date
15   sunt *claves regni celorum,* id est potestas ligandi et solvendi, et in
ipso sancte ecclesie, CUM CETERIS APOSTOLIS NOS SOLVANT
NEXU CRIMINIS, id est precibus suis nos solvant vinculis
peccatorum.
CHORUS SACRATUS MARTYRUM CONFESSIO SACER-
20   DOTUM, id est sacerdotes, qui licet martyres non fuerunt, dicuntur
tamen confessores propter sanctam et veram confessionem – confitendo scilicet Christum, divinitatem et humanitatem eius, sanctam
trinitatem, et alia que pertinent ad fidem – affligentes carnem,
insistentes doctrine, orationi instantes pro desiderio celestis patrie,
25   ET VIRGINALIS CASTITAS, id est virgines caste, NOS A PEC-
CATIS ABLUANT.
ELECTORUM SUFFRAGIA suple omnium. Suffragia proprie
dicuntur in verbis. OMNESQUE CIVES CELICI, sive angeli, sive
sancti glorificati, qui cives sunt patrie celestis, ANNUANT, id est
30   assensiant, VOTIS SUPPLICUM ET VITE POSCANT PREMIUM.

45.   SANCTORUM MERITIS INCLITA GAUDIA PANGA-
MUS SOCII GESTAQUE FORTIA. Ordo constructionis talis est:
O SOCII in fide et caritate, PANGAMUS, id est canamus, GAUDIA
INCLITA, id est gloriosa, a *cleos* quod est gloria, ex MERITIS
35   SANCTORUM. Vel sic lege GAUDIA SANCTORUM ex MERITIS
suis provenientia. Habent enim gaudia illa ex gratia et meritis,
GESTAQUE FORTIA. Fortis fuit Laurentius, qui vicit Decium,
imperatorem Romanum; fortes apostoli Petrus et Paulus; fortis est
qui vincit hostes robustos tres – mundum, carnem et diabolum.
40   NAM GLISCIT ANIMUS, id est cupit, PROMERE CANTI-
BUS, scilicet presentis hymni, VICTORUM GENUS OBTIMUM, id
est martyrum. Victores fuerunt per constantiam, per pacientiam.

4-5 Ps. 120.1   15 Mt. 16.19; cf. Io. 20.23   34 Cf. Isid. *Orig.* 10.126   39 Cf. Petr.
Lomb. *Sent.* 3.18.1

---

22 divinitatem: divinitanem, *cod.*

Salomon dicit: *Melior est paciens viro forti, et qui dominatur animo suo expugnatore urbium.* In expugnatione urbis vincitur quod extra nos est. In dominatione animi vincitur quod in nobis est, quod nobis familiare est, et nulla pestis efficatior est ad nocendum quam familiaris inimicus. Ab ea que dormit in sinu tuo custodi claustra 5
oris tui, id est a blanditiis carnis custodi os cordis, id est intellectum, ut non consentias carni male blandienti, dicas cum Iob: *Quasi una ex stultis mulieribus locuta es.* Tu queris terram, ego celum, quod magis appetendum est. Inde est quod dicit OBTIMUM.
HII SUNT QUOS RETINENS MUNDUS INHORRUIT. 10
Diversi martyres diversa tormenta passi sunt, et secundum hoc intellige litteram sequentem. Sic legas presentem litteram. HII SUNT QUOS MUNDUS inquinatus, non mundificatus, RETINENS secundum carnem, quia conversatio eorum erat in celo, INHORRUIT. Persecutores enim ammirabantur constantiam eorum et pacientiam 15
in tormentis, contemptum carnis, vilitatem in vestitu, abstinentiam nimiam in victu, et ex tali admiratione horror in ipsis procedebat.
IPSUM NAM STERILI FLORE PER ARIDUM SPERNERE PENITUS. Sensus est: ideo horruerunt quia spreverunt ipsum paradisum, id est valde aridum sterili flore. Prosperitas huius mundi, 20
gaudia huius mundi, divitie eius et similia sunt flos sterilis, id est flos sine fructu, quia pulcritudinem pretendunt exterius, set sicut ait Salomon: *Fallax est gratia huius /176v/ mundi et vana est pulcritudo.* Sponsa dicit in canticis: *Nigra sum set formosa* – nigra exterius propter carnis tribulationes, formosa interius propter munditiam et 25
sanctitatem mentis. Contrariam pulcritudinem habent qui mundum diligunt et in eo delectantur. Aridus est mundus, quia caret humore spirituali, non est infusus aqua salutari, id est gratia Spiritus Sancti, et quia martyres ita contempnebant mundum et ydola vana. Inde tyranni et dilectores mundi horrebant et fremebant. 30
TEQUE SECUTI SUNT, REX CHRISTE, BONE CELITUS, id est divinitus, id est pro Dei amore. Frustra contempnit mundum qui non sequitur Christum. Unde Petrus dixit: *Nos reliquimus omnia et secuti sumus te* et cetera. Ex hoc apparet quod in philosophis gentilium: Vanus erat contemptus mundanorum. 35
HII PRO TE FURIAS ATQUE FEROCIA CALCARUNT HOMINUM SEVAQUE VERBERA. Sensus talis est: HII PRO TE habendo et amore tuo FURIAS tyrannorum atque VERBERA hominum persecutorum FEROTIA et SEVA, quia *sevus* dicitur a *seviendo.* Possumus dicere quod FEROCIA VERBERA accipit 40
leviora, seva, graviora, vel inculcatio est. Vel FEROCIA dicit propter feras bestias quas quandoque adducebant ut martyres devorarent. Vel FEROCIA possumus legere sustantive, id est ferocitates hominum.

1-2 Prv. 16.32   7-8 Iob 2.10   20-21 Cf. Sir. 14.18; Is. 40.6-8; Iac. 1.10; 1 Pt. 1.24
23 Prv. 31.30   24 Ct. 1.4   33-34 Mt. 19.27

CESSIT HIIS LACERANS FORTITER UNGULA NEC CARPSIT PENETRALIA, scilicet cordis. Penetralia carnis potuit carpere et ipsam carnem, id est in partes distrahere, set non cordis, quia cor ad illam unam suspirabat de qua legitur in psalmo: *Unam*
5   *petii a Domino* et cetera. *Unus Spiritus* erat *cum Deo,* non divisus cum mundo.

CEDUNTUR GLADIIS MORE BIDENTIUM; NON MUR-MUR RESONAT NON QUERIMONIA. Quia paciencer sustinebant tormenta que inferebant, diligebant inimicos et pacem habebant cum
10 illis, iuxta quod psalmista dicit: *Cum hiis qui oderant pacem eram pacificus.* Et apostolus: *Si fieri potest quod ex vobis est, cum omnibus hominibus pacem habentes.*

SET CORDE TACITO MENS BENECONSCIA CONSERVAT PACIENTIAM. Cor tacitum est cum non murmurat, cum non
15 detrahit. Martyres in tormentis suis non murmurabant, non detra-hebant, set in dolore passionis gaudebant dicentes cum beato Laurentio: Gaudeo plane quia hostia Christi effici merui. BENE-CONSCIA, quia sana erat conscientia. Unde apostolus dicit: *Gloria nostra hec est testimonium consciencie nostre.*

20 QUE VOX QUE POTERIT LINGUA RETEXERE, id est exponere, QUE TU MARTYRIBUS PREPARAS. Ignota sunt nobis mortalibus, enarrare non possumus, muti sumus quo ad hoc non potest homo sufficere ad illa gaudia declaranda. Preparat martyribus auream, preparat et aureolam, quoniam digni sunt utraque.

25 RUBRI NAM FLUIDO SANGUINE LAUREIS DITANTUR BENE FULGIDIS. Rubricati enim sanguine, qui de corpore emanavit, coronis ditantur eternis.

46. BELLATOR ARMIS INCLITUS, potius scilicet interi-oribus quam exterioribus, MARTINUS ACTU NOBILIS, actu scilicet
30 qui gratus est Deo.

QUI FRIGORIS SUB TEMPORE DUM CLAMIDE NUDUM TEGIT, MOX CHRISTUS IPSA QUAM SCIDIT SE VESTE /177r/ TECTUM PRODIDIT. Audivit enim nocte sequenti dictum a Domino: Martinus adhuc cathecuminus hac me veste contexit.

35 TRES ARTE SANCTA PALLIDOS RESUSCITAVIT MORTUOS DE FEBRE CATHECUMINUM ET ALTERUM SUSPENDIO.

ORATIONIS AMBITU LATRO SUSPENSUS PRODITUR. Primum mortuum resuscitavit, quia cum in absentia beati Martini
40 mortuus fuisset. Reversus exanime corpus invenit et in cellula, exclusis omnibus, oratione sua resuscitavit. Secundum defunctum, servulum lupicini, vita sibi extorta per laqueum, ad vitam revocavit. Tercium in episcopatu defunctum, unicum filium matris sue, vivum reddidit.

4-5 Ps. 26. 4   5-6 Petr. Lomb. *Sent.* 1.31.4   10-11 Ps. 119.7   11-12 Rm. 12.18
18-19 Cor. 1.12   38-43 Cf. Sulp. Sev. *Mart.* 7, 8, 12

QUA NON CADEBAT IMPETU PINUS REFLEXA DUCI-
TUR. Hec succisa fuit et, cum talis data fuisset conditio quod
exspectaret casum cadentis arboris, signo crucis dato, cessit in partem
alteram, et gentiles crediderunt.
PROPHANA DUM SUCCENDERET, IN AERA FLAMMA   5
REPULIT, QUO EXTINCTA SUNT INCENDIA, IMBRIS FUIT
PRESENTIA. In hoc miraculo opposuit se contra ignem, et contra
vim venti ignem videres retorqueri, et ad ignem extinguendum pro
habundantia imbris data fuit presentia Martyni.
HUMORE DE PARALISI CURAT PUELLAM DEBILEM   10
MORBIQUE RASIT FOMITEM SANCTI LIQUORIS UNGUINE,
id est unctione. Hoc miraculum factum est in Treveris civitate.
PACEM LEPROSO DANS VIRO SORDES FUGAVIT UL-
CERUM ET QUO LAVARET MORBIDOS IORDANIS EST IN
OSCULO. Quia sicut Naaman Syrus ablutus in Iordane curatus est   15
a lepra, ita ipse osculo solo leprosum curavit, et ideo dicit IORDANIS
EST IN OSCULO, id est effectus Iordanis, id est curatio lepre est
in osculo beati Martini.
HIIS ET PER ORBEM COGNITIS IN GENTIBUS MIR-
ACULIS POSSESSOR ALTI SPIRITUS NUNC REGNAT IN   20
CELESTIBUS.

47. POST PETRUM PRIMUM PRINCIPEM ANDREAS
EST APOSTOLUS. Petrus dicitur primus princeps, quia fuit princeps
apostolorum, post quem dicitur esse Andreas, quia secundus est in
cathalogo apostolorum.   25
SALUTIS VERBUM PREDICANS IN ACHAYA PROVINTIA,
scilicet Grecie.
CAPTUS IN PATRA OPIDO TRADITUR DIRO CARCERI,
FERALI PENA CEDITUR, TORTOR CALLET VESANIA, id est
callide et astute cogitat de perditione illius. Vel CALLET, id est   30
ingeniose cogitat nocere. Secundum Papiam *callere* est *callide intel-
ligere* vel *ingeniose* nocere.
DILANIATUS ICTIBUS LIGNO CRUCIS SUSPENDITUR,
BIDUO VIVENS NON CESSAT FIDEM DOCERE POPULUM.
Planum est.   35
CLAMOR PLEBIS ATTOLLITUR, CARUS DEO EXPOS-
CITUR REDDI IUSTUS ET INNOCENS, SANCTUS ET BONUS
QUERITUR.
FALLAX AD PATIBULUM, scilicet egeas, QUASI AD SOL-
VENDUM PROPERAT DEVOTUS MARTYR IN PENIS ORAT NE   40
ARTIORIBUS.
LORIS RESOLVAT IMPIUS, id est funibus quibus ligatus erat
in cruce, DIVINIS INDEPTUS MUNIIS, id est divina, secundum
Papiam, adeptus *munia,* id est *officia.* Ab hoc nomine dirivatur
inmunis, qui scilicet absolutus est a puplicis officiis civitatis.   45

1-4 Cf. Sulp. Sev. *Mart.* 13   5-9 Cf. Sulp. Sev. *Mart.* 14   10-12 Cf. Sulp. Sev.
Mart. 16   13-15 Cf. 4 Rg. 5.14; Lc. 4.27   17-18 Cf. Sulp. Sev. *Mart.* 18   22-25 Cf.
Mt. 4.18; Mc. 1.16; Lc. 5.8-11; Io. 1.40-42   31-32 Pap. *Glossar.* s.v.   43-45 Pap. *Glossar.* s.v.

FRATER INSTIGAT VIRGIIS, instigat, id est incitat, IUSTIS-
QUE QUERIMONIIS.
EANT TECUM QUE TUA SUNT EGEATA DIRISSIME. Dixit
Petrus Symoni mago: *Pecunia tua tecum sit in perditione.*
5 COMPLETA EIUS PASSIO DE/177v/VICTO HOSTE CAL-
LIDO, id est diabolo et te, membro eius, IMPLORET ERGO
MERITIS SUIS PRO NOSTRIS ACTIBUS UT MEREAMUR
CONSEQUI SANCTA IN FINE PREMIA.

48. ETERNA CHRISTI MUNERA, in quibus fuerunt victorie
10 martyrum. Unde subdit ET MARTIREM VICTORIAS, LAUDES
FERENTES DEBITAS LETIS CANAMUS MENTIBUS.
ECCLESIARUM PRINCIPES, id est apostoli, BELLI, scilicet
contra diabolum et membra eius, TRIUMPHALES DUCES, qui
scilicet in bello triumphaverunt, CELESTIS AULE MILITES, id est
15 ecclesie militantis, ET VERA MUNDI LUMINA in medio nationis
prave et perverse.
TERRORE VICTO SECULI PENISQUE SPRETIS CORPORIS
MORTIS SACRE COMPENDIO LUCEM BEATAM POSSIDENT,
id est morte sacra et compendiosa. Compendium enim dicitur breve
20 et utile. De hoc apostolus: *Id quod in* brevi *est momentaneum et leve
tribulationis nostre, supra modum eterne glorie pondus operatur in
nobis, non contemplantibus, que videntur, set que non videntur. Que
enim videntur temporalia sunt, que autem non videntur eterna.* Et
in libro sapientie: *Consummatus in brevi explevit tempora multa.*
25 TRADUNTUR IGNI MARTYRES. Diversa genera tormen-
torum prosequitur littera sequens, et quidam quedam, alii alia
sustinuerunt.
ET BESTIARUM DENTIBUS ARMATA SEVIT UNGULIS,
genus tormenti est, TORTORIS INSANI MANUS.
30 NUDATA PENDENT VISCERA, SANGUIS SACRATUS
FUNDITUR, SET PERMANENT IMMOBILES VITE PERHENNIS
GRATIA.
DEVOTA SANCTORUM FIDES, INVICTA SPES CREDEN-
TIUM, PERFECTA CHRISTI CARITAS MUNDI TRIUMPHAT
35 PRINCIPEM. Fides, spes, caritas – hec tria vincunt mundum et
diabolum.
IN HIIS PATERNA GLORIA, id est in hiis Deus Pater gloriatur,
IN HIIS VOLUNTAS SPIRITUS, id est Spiritus Sanctus vult eos
habere habitaculum suum, EXULTAT IN HIIS FILIUS, tanquam
40 in membris suis quorum ipse capud est, CELUM REPLETUR
GAUDIO, id est angeli gaudent consortio eorum.

---

11 FERENTES *marg. gl. β* id est offerentes vel preferentes. Simile est apud
Virgilium: *Una eurusque notusque ruunt,* id est eruunt.

---

4 Act. 8.20   19 Cf. Pap. *Glossar.* s.v.   20-23 2 Cor. 4.17-18   24 Sap. 4.13
42 Virg. *Aen.* 1.85

49. DEUS TUORUM MILITUM SORS ET CORONA
PREMIUM. Sors, id est hereditas, quia inter filios Israel sorte divisa
fuit terra promissionis, quam Deus eis dedit in hereditatem. Clericus
etiam dicitur a *cleros* qui est *sors,* quasi *sorte electus,* quia Deus est
sors eius, id est *hereditas.*   5
LAUDES CANENTES MARTYRIS ABSOLVE NEXU CRIM-
INIS, id est peccati, quia omne peccatum non est crimen. Crimen
enim proprie dicitur *quod est dignum accusatione et dampnatione.*
Superbia quidem, invidia et alia multa sunt mortalia set non crimina.
HIC TESTIS ORE PROTULIT QUOD CORDIS ARCHA   10
CREDIDIT. Apostolus ait: *Corde creditur ad iusticiam, ore autem
confessio fit ad salutem.* CHRISTUM SEQUENDO REPPERIT
EFFUSIONE SANGUINIS.
HIC NEMPE MUNDI GAUDIA ET BLANDIMENTA NOXIA
CADUCA RITE DEPUTANS PERVENIT AD CELESTIA.   15
TEMPSIT TYRANNI VINCULA, DIRAS CATHERNAS,
VERBA ET VOCE CLARA NUNCIAT DEUM CREASSE OMNIA.
PENA CUCURRIT FORTITER, id est percurrit, quia *currere*
proprie absolutum est, FORTITER, id est forti pacientia, ET
SUSTULIT VIRILITER, id est sustinuit, PRO TE EFFUNDENS   20
SANGUINE ETERNA DONA POSSIDET.
EX HOC FUROR VESANIE, id est tyrannus vesanus et
furibundus, IUSSIT PERIMI MARTYREM IUSTUMQUE TERRIS
OBRUI QUEM REGNA CELI CONTINENT. Precipitatus est ad
mortem in terra set modo possidet celum.   25
HINC NOS PRECANTES SUPPLICES TE POSCIMUS
PIISSIME IN HOC TRIUMPHO MARTYRIS, id est in hac die in
qua triumphavit. Meritis ipsius triumphantis DIMITTE NOXAM
SERVULIS, id est culpam.
UT PARTEM HUIUS MUNERIS, id est glorie eterne, HERE-   30
DITEMUS CONGRUI, facti scilicet congrui, id est digni, LETEMUR
IN PERPETUUM IUNCTI POLORUM ATRIIS. /178r/

50. IESU CORONA CELSIOR omnibus scilicet aliis. Vel
CELSIOR, id est celsa, comparativum pro positivo. ET VERITAS
SUBLIMIOR, omnibus videlicet aliis, quia ipse est sine dolo et sine   35
falsitate, QUI CONFITENTI SERVULO REDDIS PERHENNE
PREMIUM, id est confessori ad cuius honorem presentem hymnum
decantamus; servulum dicit propter eius humilitatem.
DA SUPPLICANTI CETUI OBTENTU HUIUS OPTIMI, id
est sanctissimi viri, REMISSIONEM CRIMINUM, RUMPENDO   40
NEXUM VINCULI. *Dirupisti vincula mea,* dicit propheta, appon-
endo scilicet gratiam.

2-3 Cf. Nm. 26.55-56, 36.2   4-5 Isid. *Orig.* 7.12.1   8 Aug. *In Evang. Ioh.* 41.9;
cf. Petr. Lomb. *Sent.* 2.42.3   11-12 Rm. 10.10   41 Ps. 115.16

---

14 BLANDIMENTA: bladimenta, *cod.*
33 IESU: esu, *cod.*

ANNI RECURSO TEMPORE, id est completo, DIES REL-
UXIT LUMINE, QUO SANCTUS HIC DE CORPORE POLUM
MIGRAVIT, factus scilicet PREPOTENS, id est valde potens, quia
modo potentior est ad impetrandum.

5   HIC VANA TERRE GAUDIA, quia extrema gaudii luctus
occupat, ET LUTULENTA PREDIA, id est possessiones temporales,
que vix possunt administrari sine luto mortalis peccati. Unde
apostolus: *Qui volunt divites fieri incidunt in laqueum et in
temptationes diaboli.*

10   POLLUTA CUNCTA DEPUTANS cum apostolo, qui ait:
Arbitratus sum omnia quasi stercora. OVANS, id est gaudens, TENET
CELESTIA.

TE, CHRISTE REX PIISSIME, HIC CONFITENDO IUGI-
TER, scilicet peccata et laudes, CALCAVIT HOSTEM FORTITER,
15   id est diabolum, SUPERBUM, qui scilicet *est rex super universos
filios superbie,* sicut Dominus dixit ad Iob, AC SATELLITEM.
Satellites principis dicuntur *ministri scelerum.* Vel satelles dicitur a
satis, qui paratus est semper parere mandato Domini sui non dis-
cernens inter mandata.

20   VIRTUTUM ACTU ET FIDE, id est fide et operibus virtutum,
CONFESSIONIS ORDINE. Ordo confessionis est ut prius con-
fiteamur peccata et postea laudes.

IEIUNA MEMBRA DEFERENS cum apostolo, qui dicit:
Castigo corpus meum et in servitutem redigo ne forte aliis predicans
25   *ipse reprobus efficiar,* id est ab auditoribus reprober, et dicatur michi:
Medice, cura te ipsum. Et in psalmo: *Peccatori autem dixit Deus* et
cetera. Iste abstinens a corporalibus cibis potius immo principaliter
abstinebat a vitiis, quia hoc est ieiunium quod gracius est Deo, sicut
ipse dixit per Ysaiam: *Hoc est ieiunium quod elegi magis. Dissolve*
30   *colligationes inpietatis, solve fasciculos deprimentes, dimitte eos qui*
confracti sunt liberos et omne onus dirumpe.

DAPES SUPERNAS OBTINET, id est refectionem que erit in
visione Dei.

PLUS CURRIT IN CERTAMINE CONFESSOR ISTE SUS-
35   TINENS certamen contra diabolum, QUAM MARTYR ICTUM
SUFFERENS MUCRONE FUNDENS SANGUINEM. PLUS, id est
diutius, quia longius est martyrium confessoris. QUAM MARTYRIS,
martirium enim confessoris est in afflictione carnis et compassione
proximi, et hec crux diu durat in aliquo. Passio vero martyris modico
40   tempore durat quandoque, et quod minus est in sillabis recuperatur
in temporibus. In psalmo legitur: *Ex usuris et iniquitate* et cetera.
Glosa super locum illum dicit quod per usuram accipit penam
gehenne, ubi plus erit in suppliciis quam fuit in culpis, id est
diuturniora erunt supplicia et cetera, quia culpa est temporalis,

---

8-9 1 Tim. 6.9   11 Phil. 3.7   15-16 Iob 41.25   17 Pap. *Glossar.* s.v.   24-25 1
Cor. 9.27   26 Lc. 4.23   26-27 Ps. 49.16   29-31 Is. 58.6   41 Ps. 71.14   42-44 Cf. *Gloss.*
Ord. in Ps. 71.14

supplicia erunt eterna. Vel PLUS, id est ad maius meritum forte quandoque, possumus enim credere quod beatus Martinus habet maiorem gloriam aliquo martyre, quia maior potest esse caritas in confessione diu paciente quam in martyre in brevi vitam finiente, quia penes caritatem est omne meritum. 5

PROINDE TE PIISSIME PRECAMUR OMNES SUPPLICES UT HUIUS ALMI GRATIA NOBIS REMITTAS DEBITA.

51. IESU, CORONA VIRGINUM, QUEM MATER ILLA CONCEPIT. Verior littera est CONCIPIT propter legem metri, unde sequitur verbum PARTURIT. QUE SOLA VIRGO PARTURIT, HEC 10 VOTA CLEMENS ACCIPE.

QUI PASCIS INTER LILIA, id est qui delectaris inter virgines. Hoc tractum est ex cantico amoris, ubi dicitur: *Ego dilecto meo et dilectus meus michi, qui pascis inter lilia.*

SEPTUS, id est circumdatus, COREIS VIRGINUM SPONSUS 15 DECORUS GLORIA SPONSISQUE REDDENS PREMIA.

QUOCUMQUE PERGIS VIRGINES SECUNTUR. Unde in apocalipsi: Et *sequuntur agnum quocumque ierit,* id est mente munda et carne integra.

ATQUE LAUDIBUS POST TE CANENTES CURSITANT, 20 quasi te imitantes bene operantur, HYMNOSQUE DULCES PERSONANT.

TE DEPRECAMUR, LARGIUS NOSTRIS ADAUGE MEN-TIBUS, NESCIRE PRORSUS OMNIA CORRUPTIONIS VUL-NERA, is est peccati quod corrumpit bonum. 25

52. CHRISTE CUNCTORUM DOMINATOR ALME, PATRIS ETERNI GENITUS AB ORE. Sane hoc intelligas quia Deus Pater nec habet os nec lineamenta corporis, quia corporeus non est set spiritus et simplex. Dicatur ergo AB ORE PATRIS ETERNI, id est a Patre eterno; more humano loquimur de eo considerata aliqua 30 ratione membri humani quod ei attribuitur. Ecce in psalmo dicitur: *Dominus dixit ad me: "Filius meus es tu; ego hodie genui te."* Illud dicere est gignere. Et in principio geneseos dixit Deus: *Fiat lux et facta est lux,* id est verbum genuit in quo erat ut fieret lux. Istud itaque dicere gignere est, et apud nos procedunt dicta ab ore. Item Filius 35 Dei dicitur verbum Patris, et verba nostra ab ore nostro procedunt. Propter has rationes et forte alias potest dici quod dictus est GENITUS AB ORE PATRIS. SUPPLICUM VOTA PARITERQUE HYMNUM CERNE BENIGNUS.

CERNE QUOD PURO DEUS IN HONORE PLEBS TUA 40 SUPLEX RESONAT IN AULA. Notandum quod ecclesia dupliciter /178v/ dicitur: ecclesia materialis que constat ex lapidibus, cemento

---

1 Cf. *Gloss. Ord. Ps.* 71.14   13-14 Ct. 6.2   17-18 Apc. 14.4; cf. Alan. Ins. *Theol. Reg.* 11   32 Ps. 2.7; cf. Act. 13.33; Hbr. 1.5, 5.5   33-34 Gn. 1.3   35-36 Cf. Io. 1.1, 1.14; 1 Io. 5.7; Apc. 19.13; Aug. *Trin.* 4.20.28; Petr. Lomb. *Sent.* 3.1.1

et lignis, et ecclesia spiritualis, id est congregatio fidelium. In dedicatione autem ecclesie materialis potius dedicatur ecclesia spiritualis, que scilicet iure parrochiano ad domum illam pertinet ut ibi audiat divinum servicium et ecclesiastica percipiat sacramenta et
5 quod principaliter consecratio pertineat ad fideles, conicitur et quibusdam que ibi in figura fiunt, sicuti est aqua sancta, ubi apponuntur vinum, aqua, cinis et sal et ysopus ad aspersionem faciendam.

Item: Cruces interius et exterius, et candele accense. Scribitur
10 quoque duplex alphabetum in pavimento in modum crucis; circuit episcopus ecclesiam pluries interius et exterius, aqua sancta parietes aspergendo. Adiungitur quoque concrematio turis, que omnia cum aliis que ibi fiunt potius pertinent ad consecrationem fidelium, quia ad eos pertinent ad significationes figurarum. Secundum hanc
15 distinctionem, sicut poterimus, procedemus.

Per aulam itaque possumus intelligere non solum aulam materialem set etiam spiritualem quasi in congregatione ista. ANNUO CUIUS REDEUNT COLENDA TEMPORE FESTA, cuius aule sive materialis sive spiritualis.
20 HEC DOMUS RITE, sive materialis sive spiritualis, TIBI DEDICATA NOSCITUR IN QUA POPULUS SACRATUM CORPUS ASSUMIT, BIBIT ET BEATUM SANGUINIS HAUSTUM. Quia dicit IN QUA, potest referri ad utramque, quia in collectione fidelium et consecratur et sumitur corpus Christi, unde
25 legitur extra ecclesiam non est locus veri sacrificii, quod accipitur de ecclesia spirituali.

HIC SACROSANCTI LATICES VETERNAS DILUUNT CULPAS. Latices vocat aquam baptismi, ubi diluuntur culpe que veterem faciunt hominem. Hoc etiam intelligi potest de utraque
30 ecclesia.

PERIMUNTQUE NOXAS, idem est quod dixerat DILUUNT CULPAS. CRISMATE VERO GENUS UT CREETUR CHRISTI-COLARUM. Crisma interpretatur unctio; est unctio interior et est unctio exterior. Unctio exterior significat interiorem, que fit per
35 Spiritum Sanctum, et hec unctio facit veros Christianos. Ideo hanc unctionem vocat verum crisma.

HIC SALUS EGRIS, mente scilicet per penitentiam, MEDI-CINA FESSIS, idem est. Vel fessos dicit qui ex longo labore servicii Dei fatigari incipiunt et negligentes esse; medicina istorum est excitatio
40 prelatorum.

---

17 spiritualem *marg. gl.* γ¹ Dicit ergo RESONAT IN AULA.

6-8 Cf. Hugo S. Vict. *Sacram.* 2.5.2   25-30 Cf. Petr. Lomb. *Sent.* 4.3.9, 4.4.5, 4.13.1   28-29 Cf. Rm. 6.6   33-34 Cf. Isid. *Orig.* 6.19.50; Petr. Lomb. *Sent.* 4.23.2

---

27 SACROSANCTI: sacrosacti, *cod.*

LUMEN ORBATIS, lumen scilicet doctrine vel gratie, orbatis videlicet oculo interiori, VENIAQUE NOSTRIS FERTUR OFFENSIS per remissionem peccatorum.

TIMOR ATQUE MEROR PERDITUR OMNIS, qui scilicet habebatur ex desperatione. Vel timor servilis qui non est in caritate, 5 meror qui procedit ex timore mundano, et hoc potius intelligitur de ecclesia spirituali, sicut et sequens versus.

DEMONIS SEVI PERIT HIC RAPINA, quia Deus conservat in ea electos suos. Unde et ipse ait: *De manu mea non rapiet eas quisquam.* 10

PERVICAX MONSTRUM, id est improbum et importunum ad seducendum. Secundum Ysidorum: *Pervicax dicitur qui ad victoriam perseverat. Antiqui enim viciam dicebant quam nos victoriam dicimus.* Diabolus autem semper festinat ut in temptationibus suis victoriam de fidelibus optineat. Diabolus PAVET, quia non solum 15 temptet Christum set etiam membra eius, sicut manifeste habetur in quibusdam passionibus et vitis sanctorum. Iacobus etiam dicit: *Resistite diabolo, et* ipse *fugiet a vobis.* In cantico amoris dicitur sponsa Christi *terribilis,* scilicet demonibus.

ET RETENTA CORPORA LINQUENS quod patet in demon- 20 iacis curatis, FUGIT IN REMOTAS OCIUS UMBRAS, id est in peccatores frigidos, remotos et separatos a Deo. De hac umbra dicit Deus ad Iob: *Sub umbra dormis,* id est in homine frigido peccatis.

HIC LOCUS NEMPE VOCITATUR AULA REGIS ETERNI. Hoc precipue intelligitur de ecclesia militante. NIVEAQUE CELI 25 PORTAQUE VITE PATRIAM PETENTES ACCIPIT OMNES. Ecclesia militans dicitur porta ecclesie triumphantis, quia de ea et per eam intratur ad ecclesiam triumphantem, nivea dicitur propter candorem munditie cordis. Ecclesia militans accipit omnes petentes patriam vite, quia nullus erit de ecclesia triumphante qui non sit prius 30 de ecclesia militante, quia qui non pugnat non coronatur.

TURBO QUAM NULLUS QUATIT, AUT VAGANTES DIRUUNT VENTI PENETRANTQUE NIMBI. Hoc tractum est de evangelio, ubi Deus dicit: *Qui audit verba hec et facit ea* similabo eum *viro sapienti qui edificavit domum suam supra petram; venerunt* 35 *flumina, flaverunt venti,* et non potuerunt movere, quia *fundata erat supra* firmam *petram.*

NON TETRIS LEDIT PICEUS TENEBRIS TARTARUS HORRENS, id est horror tartari, qui dicitur *piceus a pice,* cuius fumus fetidus est et in iehenna fumus fetidus erit. TETRIS TENE- 40 BRIS, quia in re vera tenebre erunt. Unde Deus: *Mittite eum in*

---

6 mundano *marg. gl.* γ[i] Vel hoc dicit propter perfectos qui non timent penam sed timent separari.

9-10 Io. 10.28   11-14 Isid. *Orig.* 10.210   14-16 Cf. Hugo S. Vict. *Sacram.* 1.8.4; Petr. Lomb. *Sent.* 3.19.1, 3.20.4   18 Iac. 4.7   19 Cf. Ct. 6.3, 9   23 Iob 40.16   34-37 Mt. 7.24-25; cf. Lc. 6.48   38-39 Pap. *Glossar.* s.v.; cf. Isid. *Orig.* 14.9.8   41 Mt. 22.13; Mt. 8.12, 25.30

---

16 temptet: tintet, *cod.*

tenebras exteriores et cetera. Vel per tartarum accipit principem tartari, qui non ledit dilectos Dei, set temptatio eius pocius cedit ad utilitatem eorum, sicut apparet in Iob et Tobia et multis aliis.

QUESUMUS ERGO, DEUS, UT SERENO ANNUAS VULTU
5   FAMULOS GUBERNANS, annuas scilicet precibus eorum, QUI TUI SUMMO CELEBRANT AMORE GAUDIA TEMPORALI, sive materialis sive spiritualis.

NULLA NOS VITE CRUCIANT MOLESTA, id est adversitates ita ut nos deprimant, SINT DIES LETI, id est in eis simus leti leticia
10 spirituali, PLACIDEQUE NOCTES propter nos scilicet.

NULLIS EX NOBIS PEREUNTE MUNDO, id est mundana amantibus, SENTIAT IGNES, scilicet gehenne. Vel de igne qui precedet diem iuditii, qui purgabit terram et aera, potest intelligi qui non nocebit electis.

15 HEC DIES IN QUA TIBI CONSECRATAM CONSPICIS ARAM, id est Christum consecratum Deo Patri secundum humanitatem. Super hoc altare debemus offerre sacrificia nostra; alioquin non prosunt. Vel per aram intelligit corda fidelium Deo consecrata, in quibus fides latens facit oblationes Deo placere.

20 TRIBUAT PERHENNE GAUDIUM NOBIS, VIGEATQUE LONGO TEMPORIS USU. Hec dies, id est consecratio facta hac die, tribuat nobis perhenne gaudium, per causam scilicet, id est sit aliqua causa ex qua tribuatur nobis perhenne gaudium. Deus enim solus tribuit gaudium perhenne; alia tamen cooperari possunt.
25 VIGEATQUE LONGO TEMPORIS USU, id est consecratio ecclesie spiritualis duret usque ad mortem in bona perseverantia.

---

1 Mt. 22.13; cf. Mt. 8.12, 25.30   12-14 Cf. Petr. Lomb. *Sent.* 4.47.4   15-17 Cf. Petr. Lomb. *Sent.* 4.12.5

TEXTUAL NOTES

The scribe of the text has written in red ink, within the ruling for the first line of the text: "Incipit explanatio super hymnos quibus utitur ordo cisterciensis." Glossator ε has added an identical incipit in brown ink at the bottom of fol. 147r.

1.1-10 Many mediaeval psalters begin with an illumination depicting David's defeat of Goliath. For a striking example of this scene in an early Cistercian manuscript, one need look only to Charles Oursel, *Miniatures Cisterciennes: 1109-1134* (Mâcon, 1960), Pl. 3, Dijon MS. 14, fol. 13, from Stephen Harding's Bible. Perhaps this section of the accessus is the author's way of presenting in words what he had so often seen portrayed vividly at the beginning of many a liturgical manuscript. This verbal picture may also be a substitute for the illumination prohibited by St. Bernard and his Order.

1.5 Set. This is the first of three instances where the scribe has written out *set;* accordingly, all other abbreviated uses of the word are expanded to read *set.*

1.13 – 1-27 This is the humility commonplace, typical of classical and mediaeval authors. He protests that he is not up to the task before him, but the good of the Brothers demands that he muddle through nonetheless. Cf. Tore Janson, *"Loci Communes* in Later Prefaces," *Latin Prose Prefaces* (Stockholm, 1964), pp. 113-61. On the accessus, see E. A. Quain, "The Medieval *Accessus ad Auctores,"* *Traditio* III (1945), 215-64.

1.21-23 quorum quidam ut asserunt quia non intelligebant. "as some of them maintain that they could not understand." A change of punctuation here could change the meaning of this clause altogether, so the text follows the manuscript's punctuation exactly.

1.27 The scribe has written in red ink, after *reducant:* "Explicit prologus. Incipit planatio."

1.31-2.1 Cave ne hoc adiectivum ETERNE more adiectivorum determinet illam orationem inperfectam, RERUM CONDITOR, ne videatur conditio rerum eterna. "Take care lest the adjective *eterne,* as happens with adjectives, render the prayer, *Rerum Conditor,* less than perfect and imply that material creation is eternal." Prayer to an eternal Creator would be imperfect if one could draw from it that creation is likewise eternal. (See 16.16-17) Cf. Alan. Ins. *Theol. Reg.* 32:

> Temporales vero relationes significant haec, creator, auctor, factor; ex tempore enim Deus incoepit esse creator vel auctor. Haec autem nomina aliquando ponuntur substantive subintellecto articulo, ut *Pater et Filius et Spiritus Sanctus sunt principium vel Dominus;* et tunc intelligitur praedicari usia et compraedicari relatio; aliquando tenentur adjective sine intellecto articulo, ut cum dicitur, *Pater est Dominus et principium omnium creaturarum:* et tunc intelligitur praedicari relatio et compraedicari usia.

2.4 psalmo Athanasii. N. M. Häring, in "Commentaries on the Pseudo-Athanasian Creed," *Mediaeval Studies* XXXIV (1972), 208-54, notes that there was at least one commentary on the Athanasian Creed at Clairvaux in the twelfth century, Troyes Bib. Mun. MS. 804. The author may also have had access to a work by a fellow Cistercian, Alan of Lille. See N. M. Häring, "A Poem by Alan of Lille on the Pseudo-Athanasian Creed," *Revue d'histoire des textes* IV (1974), 225-38. The title *Symbolum* was applied only in the thirteenth century; previously it was called the *Fides Athanasii*. The reference here to the *Psalmus Athanasii* may stem from its inclusion in the back of psalters from the eighth century on. See J. N. D. Kelly, *The Athanasian Creed* (London, 1964), pp. 43-44. For Abelard's objection to the Cistercians' substitution of the Athanasian Creed for the Apostles' Creed, see his *Ep.* 10.

2.7 yperbaton. Hyperbaton is a rhetorical term for the transposition of words.

2.8 littere. "to the sense of the word."

2.9-10 It is typical of the author to comment on the meaning of a word or two in an incomplete sentence. Cf. 17.25-35, 18.33-36, 20.17-19.

2.22-23 quantitates dierum et noctium et aeris qualitates. Note the use of chiasmus.

2.28 ex. The manuscript gives *es,* the sole use of *es* for *ex.*

2.41 surgitur. "one arises." This is typical of the author's preference for the impersonal use of intransitive verbs in the passive voice.

2.42 The author may intend a brief summary of the parts of the Office: invitatory, versicles of petition and praise and the psalms. More likely, he intends a paraphrase of Ps. 94.1-2, the invitatory at Matins: "Venite, exultemus Domino, iubilemus Deo salutari nostro, praeoccupemus faciem eius in confessione et in psalmis iubilemus ei." For the history of the Office, see Pierre Salmon, *L'Office divin au Moyen Age* (Paris, 1967).

2.42-3.1 invitat exultare..., confiteri..., iubilare. The author uses objective infinitives where the classical construction would have been *ut* and the subjunctive.

3.1 confiteri peccata et laudes. The author plays on the double meaning of *confiteor,* as a confession of sins and a profession of praise. St. Augustine's *Confessions* was similarly meant to be a double confession.

3.2 faciunt. This is an awkward shift from the infinitive to the finite, if the performance of the rest is intended as the fourth act to which God's word invites us. Perhaps the author uses the finite *faciunt* to emphasize that the performance does indeed follow upon the invitation. We should then prefer *facimus* since the invitation is directed to us. This also means that the three infinitives reveal a rare use of asyndeton.

3.2 que secuntur. These are probably the other activities of Ps. 94.6, 8: "Venite adoremus et procidamus et ploremus ante Dominum ....Nolite obdurare corda vestra."

3.18-19 Cf. 12.29-30, 57.34-35, 59.26-28, 66.23-25.

3.24-25 Cf. 5.24-26, 6.31, 12.5-7.

3.37 Lucifer. Literally, the light-bearer is meant, not the prince of devils. Cf. 13.6-7, 13.18-20, 14.9, 20.1.

4.3-5 The author reflects the concerns of pre-scholastic writers as to the nature of grace and its activities.

4.6-15 The author brings out forcefully that the monk is to work for his daily sustenance; such work is his *bene operandum* (4.15) tempered by his fidelity to prayer, *in psalmo iubilare, id est bene operari* (3.1). This sentiment is in harmony with St. Benedict's admonition: "Ora et labora." Cf. 4.24: "bene operandum."

4.19-20 de stulto..., de ignorante. This is in keeping with the author's style in using the ablative where a nominative would have been more appropriate: *stultus fit sapiens.* Cf. 2.41: "de nocte."

4.28 Ysaya: *Orieris ut lucifer.* The quote is from Job, which the author may have confused with Isaias 14.12: "Quomodo cecidisti de coelo Lucifer, qui mane oriebaris?" There is also the possibility that the scribe may have confused the Gothic abbreviation of Job (Ib) with that of Isaias (Is).

4.35 a facie, ...a presentia. This is a curious use of the ablative of separation, hardly an ablative of instrument.

4.43 Nautam accipit. "By *nauta* he understands."

5.1 cum videt. *Cum* with the indicative is probably intentional as an iterative or explicative use: "Whenever he sees his listeners profit and the devil weaken..., he gathers his forces.. ." Cf. B. L. Gildersleeve and Gonzalez Lodge, *Latin Grammar,* 3rd ed. (London, 1965), par. 582, 584.

5.13 The antecedent of *qui,* both times, is the *spiritum,* each man's spirit, or soul, not the third Person of the Trinity.

6.3 Quasi non. "The expected answer to the preceding question is 'No'. "

6.14 Quidam, 6.18 Quidam. Understand here an ellipsis of the predicate: *nolunt surgere.*

6.31 corde, ore, opere. The scribe changed the word order from opere, corde, ore. The revision reflects better the order of the *Confiteor* at Mass: "quia peccavi nimis cogitatione, verbo, et opere." See too Petr. Lomb. *Sent.* 4.16.1.

6.32-33 Cf. 57.37-39, 61.1-3.

7.5 Quia ad. "Because there is a return to."

7.11 scriptarum. No lexicon cites *Scripta* for Scripture. Perhaps this is a word peculiar to the author, although he uses *Scripturas* twice in the preceding two sentences. Possibly the scribe misread *scripturarum.*

7.24-8.3 Cf. 41.10-13, 81.4-7.

7.40 respexisses, 7.40 Respexisti. The subject addressed is *Iesu,* the *te* referred to in the preceding sentence.

7.42-43 Respectus enim misericordie Dei semper nobis necessarius est. "We must always look to God's mercy."

8.12 legi. Understand an impersonal *potest.*

8.31 Non solum ora exteriora set interiora. "Not only our physical mouths, but also the mouths of our souls are meant."

9.10 *fontem.* Although the Stuttgart edition of the Vulgate gives *fortem,* one manuscript tradition (*Cavensis,* Cava Archivio della Badia I (14), S. IX^2 in Hispania), gives *fontem,* clearly the word intended here by the author.

9.40-42 Unless the glossator had access to a now-lost manuscript of *Sapientia* from Origen's *Hexapla,* he was probably referring to his *De Principiis.* 1.2.5.

9.27-29 These lines provide an example of the author's somewhat inconsistent syntax, although syntax is a great concern of his.

9.30 Et aliis etiam modis. It would not make any better grammatical sense if this were subordinate to the preceding or following sentences. It appears that the author intends: "And so the analogies continue in other fashions as well."

9.35-36 Quod ipse sit lux ipse. This noun clause is the subject of *testatur.*

10.9 his. Elsewhere, *hiis* is the regular form.

10.19 Peccator quasi patria culpe est. "The sinner constitutes in a way his own country of wrong-doing."

10.29-30 This is an exact quote from Lombard, who likewise attributes it to Augustine, although it is not found in Augustine's work. Cf. Aug. *Retr.* 1.9.4, *De Lib. Arbitrio* 2.19.50.

10.35-39 Cf. 59.36-37.

11.19-21 Cf. 41.3-6, 42.4-5.

12.5-6 Que..., que. Perhaps the author sees these as correlatives for *Que..., ea.*

12.8 confundatur de offensis suis. "that he may be ashamed of his offenses."

13.3-4 Cf. 22.3-6.

14.19-21 Again the author shows his concern for syntax and his readers' understanding of it.

14.41 endiadim. Hendiadys, the rhetorical term, is meant; but perhaps hypallage might be better. Cf. 40.24, 64.21.

15.16 secundum aliam litteram. "interpreted another way."

15.23 Sic legatur littera. "Read this literally."

15.28-29 Alia littera habet. "Another reading of this has."

15.29 Illa. "This reading."

15.30 Est tercia. "There is a third reading."

15.34 una fusione. This appears to be a reference to the first verse of the hymn: "UNUS... INGERI, id est infundi..."

15.42-16.2 The author again speaks of confession of sin and profession of praise.

16.20-21 per litteram sequentem. "through the following interpretation."

16.36 sub pendulo pie conditionis. "in the balance of creation, mindful of our duties to our Father."

17.25-35 Again the *nox/dies* motif appears, but here he applies *dies* to the contemplatives, *nox* to the active. The imagery probably alludes to the monks' habits: white monks as distinguished from black monks.

17.32 activa. "the active life."

17.33 que membris sunt necessaria sustentandis. "which are necessary for sustaining the members." The word order here is unusual.

17-36-39 The author here introduces his practice of commenting on a word or a phrase at a time, rather than giving the whole verse and commenting on it.

18.2 Proper syntax would call for the first *vel* to precede *causa,* or for *morte* to be a genitive.

18.8-14 Here and elsewhere the author takes liberties with the word order of the hymn to suit his purposes. The hymnals present this stanza:

Grates peracto iam die
Et noctis exortu preces,
Voti reos ut adiuves,
Hymnum canentes solvimus.

18.10 Alicuius alterius. The meaning is not entirely clear; it may be a reference to the vows which a religious makes.

18.33 RELUCEANT. The hymnals give *reluceat,* but the author has changed the number to agree with the plural subject, *homines.*

18.38 dampnat. He uses this verb either intransitively or with *sompnum* understood as the object.

19.29-31 Note the subtle light and darkness imagery, consonant with the author's predilection for *nox/dies.*

20.26 es. Christ is addressed.

20.32 littera. "this passage," "this reading."

21.7-8 The author explains these words through metonymy. See the gloss of 47.41-42 and my note.

21.9 insensata. "understood." The usual definition of this rare word is "irrational, foolish, or worthless," but it appears that the author here attaches a meaning all his own. Cf. 33.15.

21.11-12 Cf. 22.26-30, 47.12-13.

21.27 de facili. Note the use of *de* and the adjective in the ablative where an adverb would be more natural.

22.1 dativi casus et legitur adquisitive. This is the dative of personal interest. Cf. Gildersleeve and Lodge, par. 350.

22.7-8 SYDERUM, ad litteram vel SIDERUM, id est iustorum. The *vel* appears to refer to the difference in meaning rather than to the difference in orthography. Cf. 21.14.

23.5 Ecclesie de gentibus, id est gentilitatis converse. "The Church made up of gentiles, that is converted gentiles."

23.24 Aliter legatur littera. Compare this use of *aliter* with its use elsewhere. Here he may simply be introducing other commentaries by his confréres or students.

23.28 preposteratio. "Hysteron proteron."

23.34 Moysi. The author uses this form as a genitive.

24.6 Nec mirum quia ipse est qui dicit. "And this should come as no surprise, since it is he who says."

25.6-7 in qua animalia tua reficiuntur tritico tuo. "Just as animals are fed with wheat in a stable, so too we, your faithful, are refreshed by your wheat in the Church." The *animalia* here is obviously meant as a metaphor.

25.23 diu est quod. "It is a long time since."

25.41-42 Cetera que secuntur prosequere secundum quod expositum est. "Pursue the following according to what has already been explained." The author sees no need to belabour the obvious.

26.1-2 antonomasice. Antonomasia is a rhetorical figure which replaces a person's name with his epithet.

26.11-13 Cf. 25.7-9.

26.16 lithote. Litotes is properly a rhetorical term signifying an understatement, especially one involving the negation of the contrary to what is meant.

27.9 similitudinarie. This is the opposite of *proprie*.

27.31-28.17 This is an unusually abbreviated commentary, but as the author writes: "Littera plana est, nec volumus immorari in superfluis."

31.6-9 The sentiment here appears to contradict 77.9.

31.41 synodoxiam. This is an alternate spelling for *cenodoxia.* Cf. 31.8.

32.26-29 Not only the name, but the underlying reality, is praised.

32.32 planum est. The meaning of *ieiunet* and *criminum* should be clear here, since the author has devoted so much attention to these in his preceding commentary.

32.33-35 Again, the author chooses to forego an unnecessary commentary.

33.1-2 By synecdoche he invokes the same tree as leaf, flower and seed; by metonymy he means Christ himself. Cf. 47.23.

64.20 quod est dignum amari. "What deserves to be loved."

33.6 This second occurrence (Cf. 21.9) of *insensatum* carries the author's unique meaning of "understood."

34.2-3 Alia littera: SAGUINE. "Elsewhere we read *sanguine.*"

35.40-42 Although the glossator attributes this to Bede, it appears to come from the *Ecclesiastical History* of Ordericus Vitalis. Possibly he has confused his histories.

36.25 nos religiosi. The author alludes to his being a religious. He goes on to speak of the clothing of a religious, part of the ceremony of the formal introduction into the religious life.

36.36 elate palmarum. The *elate* is feminine plural, most likely in agreement with *frondes* understood.

37.4 per speciem intelligit genus. The author goes from the specific meaning to the more general. Cf. 38.16-17 per speciem accipitur genus.

37.39-40 The allusion is to the harrowing of hell, as described in the *Gospel of Nicodemus,* 21-26, Cf. 41.23-31.

38.15-16 Unde aliqui dicuntur quo evi qui scilicet vixerunt eodem spatio temporis. "And so some contemporaries are called by the age in which they have lived."

38.38 aionas. The Oxford edition does not cite an alternate reading for *aionas;* perhaps the glossator was using a copy of Isidore written in Beneventan script, in which the a resembles a c.

38.42 annalibus. I have emended *animalibus* to read *annalibus,* although the unemended *animalibus* does appear in Weissenberg MS. 64 (S. VIII[1]).

40.24 BREVI FIDE, id est fide brevis temporis. The explanation given here is similar to the rhetorical device of hypallage, an interchange in the relations of words.

40.37-39 Cf. 47.25-26.

41.24 putavit. Understand here *per quem:* "through which he thought."

41.29 sicut supra ostensum est. Cf. 39.27-40.5.

41.35 verba prophete premissa. While the sentiment resembles Is. 26.19, the author probably intends the just-cited Ps. 88.49.

42.10 quam deposuerunt salubrio. "which they put aside for the bath." *Salubrium* is a rare word; it appears that the author means the pool of salvation into which those to be baptized descend. Cf. 43.33.

42.19 tostum ut ponatur nomen pro participio. The noun *tostus* is a hovel of dried mud. So on the cross the body of Christ was parched, but became a glorified manse at the resurrection. See Albert Blaise, *Lexicon Latinitatis Medii Aevi* (Turnhout, 1975), p. 919.

43.19 OSTIA. While the hymnals give *hostia,* the author's use of *ostia* here may reflect either his orthography or his understanding of Christ as the gate to heaven.

43.35 Melus dicitur cantus. *Melus* means the sweetness of song or sweet song. Since the sweetness is already covered by *dulcedinem, meli* is translated here simply as song.

44.7 ordinem littere. "The literal order." As presented, the order demands that Christ's harrowing of hell be intended here. Otherwise, one may understand Christ's raising to life others during his ministry.

44.9-10 Cf. 81.38-40.

45.36 Since the commentary on the *Almi Prophete* does not come for five more folios, it seems unlikely that the author intended the glossator's suggestion. Perhaps the reference is to 44.4-8, where an explanation is given of the proper understanding of the time sequence in a hymn.

45.15 potes accipere. The object is *hoc.*

46.30 dictum est supra, 46.34-35 supra dictum est. Cf. 41.14-22.

47.2 satis supra. Cf. 39.24-41.22.

47.23 pars pro toto. The author is using synecdoche.

47.34 supra dictum est. Cf. 47.1-11.

47.37 Iunge, si placet, PATRIS cum hoc dictione PROMISSUM vel cum hac dictione MUNERE. "*Patris* goes with either *promissum* or *munere.*" Cf. 49.22-23.

47.41 methonomiam. The *Revised Medieval Latin Word-List,* p. 298, cites the use of *metonomia* as early as 1125.

49.23 Iunge VESANA SPIRITU. The author intends *vesana* to modify *spiritu.*

50.9 diem festum. This is probably the *iubileus* of the previous hymn.

50.14 supra expositum est. As the gloss remarks, this exposition was already given for the hymn *Iam Christus.*

50.18 Sic lege litteram. "Read the word order this way."

51.22-52.8 The author omits a discussion of *timor,* since he treats this at length elsewhere: 7.24-8.3, 41.10-13.

51.27 Sapientia est, ut dicunt philosophi est. "Wisdom is, as the philosophers say it is."

52.40 prophete. This is a dative of reference.

55.11 communus. While this is a very rare word, the *Revised Medieval Latin Word-List,* p. 99, cites its use as early as 1126.

55.31-56.20 The commentary here gives little more than a paraphrase of the hymn. This strictly hagiographical account was of little interest for the author, whose concerns were more philosophical and theological.

56.21 Brevis esse laboro, obscurus fio. The author is probably referring to his unusually terse commentary on the preceding hymn.

56.22-23 Brevitate. . . in hoc loco. The author implies that St. Ambrose displays a rather laconic style in his hymns, so the commentator has much at hand to explain.

56.39-42 Cf. 62.26-29.

57.8 Cf. 76.43.

58.24-25 Secundum quod interpretatur. "In keeping with this interpretation." The noun clause introduced by *quod* is the object of the preposition, *Secundum.* Cf. Gildersleeve and Lodge, par. 525.2.n.2.

58.29-30 et inde gaudeat. . . promus. "and thus as our benefactor may rejoice."

59.7-9 Cf. 58.23-34.

59.14 Expone sicut expositum est. "The literal meaning should be sufficiently clear without further explanation."

60.26-27 Si sint nominativi casus. The author sees the need to understand an ellipsis if *progenies pia* is the subject of the sentence and not a form of address.

60.39-42 The glossator treats here questions of grammar: relative pronoun, adjective, substantive. Cf. 73.43.

61.19-20 Cf. 61.32-35.

61.30-31 Cf. 71.21-23.

62.5-6 Cf. 68.23-24.

62.15 expositionem predictam, 62.18 prior expositio. The author is expanding upon his earlier explanation, but sees no need to say more than he must.

62.43 littera. "passage."

63.8-9 ubera de celo plena. The author adds this non-Scriptural phrase as filling out the meaning of *saciati.*

63.9-11 The author shows an acquaintance with both the nominative and the ablative absolutes.

63.40-41 Propter legem metri. It is essential for the *littera* to be nominative for the proper scansion of the alcaic strophe. Cf. Dag Norberg, *Introduction à l'étude de la versification latine médiévale* (Stockholm, 1958), p. 101.

64.4 tropum. The author defines his use of *tropum:* "significans ponitur pro significato vel nomen pro re appellat." Cf. 64.16-17: "quod est figurati attribuitur figuranti...."

65.18 ab illo loco. The author acknowledges a different source.

65.28 secundum tropum superius dictum. Cf. 64.4, 64.16. The more immediate trope is that of the preceding paragraph.

66.1-4 This passage repeats the explanation of 65.18-21.

66.38-43 Glossator γ gives a succinct summary of this discussion.

68.4 habundantem. While the author may have meant *habentem, habundantem* is more in keeping with his style.

69.29 equus. "equal."

71.40-42 This does not appear in the *Glossa Ordinaria,* the most likely source. The glossator may be referring simply to a marginal gloss that he has read.

71.27-72.5 The author reveals a surprisingly modern view of veneration of the saints. Although they can help, it is Christ who remains the *auxilium summum.* But still they have a place; cf. 72.11-12. "Merita dicuntur precari, quia affectum habent precum, unde commendamus nos meritis et precibus sanctorum."

71.34 gressus nostros. The hymnals here present *vestigia nostra.*

72.37-39 The author still has Lawrence and Peter and Paul on his mind from the previous hymns.

74.3 et. "even."

75.32 *ingeniose* nocere. Papias, *Glossar.* s.v., gives *ingeniose nosco.* While the scribe shows problems with *noscere* (witness the corrections); here the author does appear to intend *nocere.*

77.18-19 *currere...* absolutum. The author is explaining *currere* as intransitive.

77.34 comparativum pro positivo. This is an interesting observation, showing that the author was aware that he was using a comparative with the force of a positive. See Karl Strecker, *Introduction to Medieval Latin,* trans. Robert B. Palmer (Dublin, 1968), pp. 63-64.

77.37 confessori. The rubric of Troyes Bib. Mun. MS. 283, a Cistercian breviary, says of this hymn simply: "unius confessoris."

77.41-42 The *Glossa Ordinaria,* citing Cassiodorus, also applies this verse (Ps. 115.16) to martyrs: "Virtute martyrii vincule rumpuntur peccatorum quia omnia sanguine abluuntur."

79.9 propter legem metri. For the iambic dimeter to scan properly, it is necessary to use *concipit* instead of *concepit.* See Norberg, pp. 106-110.

81.17 passionibus et vitis sanctorum. The author has been quoting extensively from several such *passiones* and *vitae.*

A TABLE OF VARIANTS FROM COLLECTIONS OF CISTERCIAN HYMNS

Troyes Bib. Mun. MS. 658 (A)
Colmar Bib. MS. 442 (B)
Vatican, Chigi C. V. MS. 138 (C)
Troyes Bib. Mun. MS. 283 (D)

	(A)	(B)	(C)	(D)
27.6	quod	quos	quos	quos
34.17	secli pependit precium	secli pependit precium	secli pependit precium	precium pependit secli
35.12	Bethania	Betania	Bethaniam	Bethaniam
36.9	pullo	pullo	pullum	pullum
38.31	docet	docens	docens	docens
39.8	non	nec	nec	nec
41.7	nunc	hoc	hoc	hoc
43.19	quem	quem	quem	quam
46.5	quos	quod	quod	quod
70.20	prodere	prodere	pandere	pandere
71.16	muniat	muniat	maneat	maneat
71.27	afferat	auferat	auferat	auferat
74.38	suspensus	sepultus	sepultus	sepultus
75.5	flamma	flammam	flamma	flammam
75.22	primum principem	primum principem	primum principem	primum principum principem
77.18	pena	penas	penas	penas
77.30-31	hereditemus	hereditemus	hereditemus	hereditemur
79.23-24	mentibus	mentibus	mentibus	sensibus
81.4	meror perditur	meror pellitur	meror pellitur	tremor pellitur
82.8	cruciant	crucient	crucient	crucient

DATE DUE

			Printed in USA

HIGHSMITH #45230